YSTYRIWCH Y LILI

gan

GARETH MAELOR

GWASG PANTYCELYN

(h) Gwasg Pantycelyn 2000 ©

ISBN 1-903314-04-6

Dymuna'r cyhoeddwyr gydnabod cymorth
Adrannau Cyngor Llyfrau Cymru.

Cyhoeddwyd ac argraffwyd gan Wasg Pantycelyn, Caernarfon

'YSTYRIWCH LILI'R MAES . . .'

'. . . edrych, aeth y gaeaf heibio,
ciliodd y glaw a darfu;
y mae'r blodau'n ymddangos
yn y meysydd, daeth yn amser
i'r adar ganu, ac fe glywir cân
y durtur yn ein gwlad;
y mae'r ffigysbren yn llawn
ffigys ir, a blodau'r gwinwydd
yn gwasgaru aroglau peraidd.'

(Caniadau Solomon 2: 11-13).

'Deffro, O wynt y gogledd,
a thyrd, O wynt y de;
chwyth ar fy ngardd
i wasgaru ei phersawr.'

(Caniadau Solomon 4: 16).

Ar antur, â'r awyr iach yn denu,
caf rannu cyfrinach
ac, efallai, gyfeillach
â'r Duw byw yng ngardd Tir Bach.

T.A.W.

Gwnaed hyn yn bosibl gan bum cenhedlaeth, ac iddynt hwy,
fy mhriod a'r genod i gyd, o fy nain i'm hwyres,
y cyflwynaf 'Ystyriwch y Lili'.

DIOLCH

- i Maldwyn Thomas am fy annog i briddo'r had a'i feithrin;
- i Dafina Williams am dacluso pob planhigyn yn ei dro, hofio, chwynnu a thocio'n ôl y galw;
- i Eryl Wyn Davies am labelu pob planhigyn yn yr iaith wreiddiol – Hebraeg.
- i gyfeillion Gwasg Pantycelyn, yn arbennig Malcolm Lewis am leoli pob planhigyn, ac i June Jones am eu rhoi ar y farchnad gyda chymorth y Cyngor Llyfrau;
- ac i chwithau am 'ystyried y lili', gan obeithio y cewch cymaint o bleser ag a gefais innau wrth ei dyfrhau.

CYNNWYS

Ll. – Lladin
Heb. – Hebraeg
Gr. – Groeg

'YSTYRIWCH LILI'R MAES '

Glywsoch chi sôn am flodyn **Adda ac Efa; maip Adda; blodau arch Noa; Moses bach yn y gawell** a **llygaid Moses yn yr hesg; clychau Aaron; sêl a llysiau Solomon; sudd Daniel; seren Bethlehem; rhosyn Saron; llysiau Crist; rhedyn Crist; y goron ddrain; dagrau'r Iesu** a llu o blanhigion sy'n gysylltiedig â Mair – **helyg Mair, celyn Mair, canhwyllau Mair, gwialen Mair, llysiau bronnau Mair, blodau pumbys Mair, mantell Mair, clustog Fair, briallu Mair** a **rhedynen Fair**?

Enwir y rhain i gyd a rhagor gan Gwenllian Awbery yn ei chyfrol *Blodau'r Maes a'r Ardd ar Lafar Gwlad*.

Pam y galwyd y *lungwort* yn flodyn **Mair a Martha**, neu'n **siaced fraith Joseff**? Pam rhoi **dail y Fendigaid** yn enw ar *St John's Wort*, a **blodyn y diafol** ar y *scabious*?

Byddai'n ddiddorol cael gwybod pam y cysylltwyd cymaint o blanhigion â chymeriadau'r Beibl. Un o'r enwau a roddwyd ar y *ground elder* ydy **cythraul y gerddi**, a hawdd deall paham, gan ei fod yn boendod i'r garddwr. Mae'n anodd cael gwared ohono unwaith y mae wedi hawlio ei le mewn gardd. Ond fe'i gelwir hefyd yn **ysgawen Fair**, gan y credid fod iddo ryw werth meddyginiaethol – y da ar drwg yn cael eu priodoli i'r un planhigyn!

O blith y planhigion ac iddynt enwau Beiblaidd neu grefyddol, y mwyaf adnabyddus mae'n debyg ydy **cennin Pedr, lili'r Pasg** a **rhosyn Nadolig**. Yn y Beibl ei hun wedyn ceir nifer fawr iawn o enwau planhigion, blodau, llysiau, ffrwythau, llwyni a phob math o goed. Diddorol eto yw ceisio gwybod pam y cyfeirir at y planhigion hyn gan awduron y Beibl. Yn y 'Bregeth ar y Mynydd' fe ddaru Iesu Grist sôn am **lili'r maes**, ond yn y cyfieithiad Saesneg o'r Beibl (*New English Bible*) yr hyn a geir ydy 'blodau'r maes'. Nid yw'n hawdd gwybod bob tro at ba blanhigyn y cyfeirir yn y Beibl.

CHWYNNU A THOCIO

Cyn y gellir crwydro'n ddychmygol trwy diroedd gwlad y Beibl i ddarganfod planhigion yr ysgrythurau, rhaid wrth lawer o chwynnu a thocio – oherwydd nid **shacan** yw pob **sycamorwydden**! Tra'n ymweld â thref Jericho tynnwyd fy sylw at goeden tua phymtheg medr o uchder, a chlystyrau o ffigys yn hongian oddi ar ei changhennau. Meddai'r Arab addfwyn oedd yn dywysydd i mi ar y daith, "Coeden debyg i hon ddaru Sacheus ei dringo er mwyn gweld Iesu." Ond nid y **shacan** sy'n tyfu yn fy ngardd gefn mo'r **sycamorwydden** a welais yn Jericho. Roedd yn goeden hollol wahanol.

Trwy gyfrwng astudiaeth ac arbenigedd ysgolheigion mae modd i ni bellach wybod yn union pa rai yw llawer iawn o blanhigion y Beibl.

Yn yr unfed ganrif ar bymtheg,gwnaed astudiaeth o blanhigion gwlad Israel gan ŵr o'r Iseldiroedd, sef Leonhardt Rauwolf. Cyhoeddwyd ei waith ym 1775. Ers hynny cyhoeddwyd nifer fawr o lyfrau ar blanhigion y Dwyrain Canol gan arbenigwyr ym myd botaneg ac ieithoedd Semitaidd.

Yn anffodus nid oedd llawer o gyfieithwyr llyfrau'r Beibl yn wybodus yn nhermau blodau a phlanhigion y cyfeirir atynt yn yr ysgrythurau Hebreig. Oherwydd hyn, wrth gyfieithu'r Beibl i'r Saesneg ac ieithoedd Ewropeaidd eraill, gwnaed y camgymeriad o roi enwau Ewropeaidd ar lawer o blanhigion y Beibl. Felly nid **shacan** yw pob **sycamorwydden**.

Rhoddwyd hefyd enwau cyffredinol torfol ar lawer o blanhigion y Beibl, gan nad rhywogaeth y planhigion unigol oedd yn bwysig i'r awduron, ond yn hytrach eu harwyddocâd, e.e., dynodir grwpiau o blanhigion fel **gwenith, haidd, ceirch, barlys** ac ati gan enw cyffredinol torfol – **ŷd**. Yn yr un modd defnyddir yr enw **cedrwydd** wrth gyfeirio at y **binwydden** a'r **ferywen** yn ogystal â'r **gedrwydden** ei hunan.

Mae dros chwe deg o wahanol fathau o **ddrain** yn tyfu yng ngwledydd y Dwyrain Canol, a cheir ugain gair gwahanol am **ddrain** yn y Beibl. Felly at ba un o'r gwahanol fathau o **ddrain** y cyfeirir yn y Beibl?

Oherwydd hyn a chymhlethdodau'r ieithoedd Semitaidd, dywed yr ysgolhaig Michael Zohary* na ellir byth fod yn sicr pa rai yn union yw llawer o blanhigion y Beibl.

Enwir cant a deg o blanhigion yn y Beibl. Cyfeirir at rai ohonynt dros gant o weithiau, ond ddim ond unwaith at ychydig o rai eraill.

Mae'n amlwg bod y planhigion hyn wedi chwarae rhan bwysig iawn ym mywyd, crefydd a diwylliant yr Iddew.

Dewisais roi sylw i 27 ohonynt yn y gyfrol hon, gan obeithio y bydd lluniau'r planhigion yn rhoi mwynhad i chi, ac y medrwch arogli eu persawr ac ysu am gael rhoi eich dannedd mewn ambell i ffrwyth!

Pwy a ŵyr na lwyddwch i'w gweld trwy lygaid y rhai a gyfeiriodd atynt, pobl fel Eseia, Jeremeia a Iesu Grist ei hun. O'u gweld felly, bydd modd eu cyffwrdd, a bydd planhigion y Beibl yn tyfu ym maes profiad eich bywyd.

---

* Athro emeritus ac arbenigwr ar ecoleg a botaneg y Dwyrain Canol. Anrhydeddwyd ef â chadair Botaneg Prifysgol Hebreig, Jerwsalem, a gwobrau o bwys am ei waith a'i gyfraniad i astudiaethau o blanhigion y Dwyrain Canol.

Almon   Ll. *Amygdalus communis*   Heb: *shâqêd*

'Daeth gair yr Arglwydd ataf a dweud, "Jeremeia, beth a weli di?"
Dywedais innau, "Yr wyf yn gweld gwialen **almon**". *(shâqêd)*
Atebodd yr Arglwydd, ". . . yr wyf finnau'n gwylio *(shôqêd)* fy ngair i'w gyflawni."'

(Jeremeia 1: 11-12).

Ceir yma chwarae ar eiriau, sef *shâqêd* – **pren almon** a *shôqêd* sy'n golygu 'yn effro' neu 'gwylio'.

Yn Israel mae'r **pren almon** yn blodeuo cyn deilio, a hynny ar ddiwedd gaeaf. Dyna'r arwydd a gafodd Jeremeia yn ei arddegau, sef fod y dyddiau garw ac anodd yn hanes bywyd ei genedl ar fin darfod. Roedd Duw'n effro ac yn gwylio ac roedd amser gwell ar gychwyn.

Blodeuo i groesawu'r gwanwyn a wna'r **pren almon**, yn union fel y gwna'r **friallen** yn ein gwlad ni.

'Cofiaf o hyd am y ddaear yn deffro yn y gwanwyn, y cynhesrwydd yn codi o'r ddaear gyda sŵn pan aem i gasglu'r **briallu** hyd ochrau'r nentydd yn ein bratiau ar ôl diosg cotiau'r gaeaf.' (Kate Roberts, *Y Lôn Wen)*.

Ond mae un blodeuyn bach arall sy'n achub y blaen ar y friallen hefyd. Yng Nghymru **y lili wen fach** sy'n herio'r gaeaf gyntaf. I ni mae'r **eirlysiau** yr hyn yw'r **pren almon** i'r Iddewon.

> Ar lechwedd yn ir lachar - er maint trwch
>   Duwch oer ein daear,
> Mwy yw gwyrth a bwrlwm gwâr
>   Eu cannaid ddeffro cynnar.
>
> Derwyn Jones, 'Eirlysiau'

> Oblegid pan ddeffrois
> Ac agor heddiw'r drws,
> Fel ganwaith yn fy hiraeth,
> Wele'r **eirlysiau** tlws,
> "Oll yn eu gynnau gwynion
> Ac ar eu newydd wedd
> Yn debyg idd eu Harglwydd
> Yn dod i'r lan o'r bedd."
>
> Cynan, 'Eirlysiau'

Mae'r **pren almon** o'r un teulu â'r **eirin gwlanog**.
    Pinc neu wyn yw lliw'r blodau. O gwmpas y ffrwyth mae hadlestr sydd, o'i gyffwrdd, yn teimlo fel lledr.

9

ALMON

Fel yr aeddfeda'r ffrwyth mae lliw'r hadlestr yn tywyllu o wyrdd i frown-wyrdd.

Oddi mewn i blisgyn y gneuen mae cnewyllyn hir-fain lliw hufen, ac iddo groen tenau brown-oren.

Mae 50% o fraster yn y cnewyllyn hwn, ac o'i wasgu ceir olew ohono. Gellir bwyta ffrwyth yr **almon** yn amrwd neu wedi ei rostio.

Mae pren y goeden **almon** yn frown-goch ac yn galed. Ar fynydd Carmel mae rhai sy'n bymtheg troedfedd o uchder.

O'r pren caled hwn y gwnaed ffon i Aaron, brawd Moses.

'Dywedodd yr Arglwydd wrth Moses
". . . cymer wialen gan bob un o arweinwyr y llwythau" . . . ac yr oedd gwialen Aaron ymhlith eu gwiail hwy . . . trannoeth aeth Moses i mewn i babell y dystiolaeth, a gwelodd fod gwialen Aaron. wedi blaguro a blodeuo a dwyn **almonau** aeddfed.'

(Numeri 17: 1-8).

Yn ôl Llyfr Exodus roedd addurn ar ffurf y blodyn **almon** ar y candelabrwm (canhwyllbren canghennog) ym mhabell y dystiolaeth. Mae'n rhaid felly fod **y pren almon** yn tyfu'n wyllt yn anialwch Sinai adeg yr exodus, er nad yw'n tyfu yno heddiw. (Exodus 37: 18-21)

Yng nghyfnod y Macabeaid (166-63 C.C.) yr **almon** oedd y cynllun ar y darn arian Iddewig, y *shecel*. Dyma symbol o'r gwanwyn a gobaith unwaith eto hwyrach, oherwydd gorchfygodd y Macabeaid y Groegiaid, gelynion yr Iddewon a'r rhai a reolai eu gwlad.

Mae'n rhaid ei fod yn ffrwyth gwerthfawr gan ei fod ymhlith y ffrwythau a anfonodd Jacob yn anrheg i lywodraethwr yr Aifft, sef Joseff ei fab.

'Cymerwch rai o ffrwythau gorau'r wlad yn eich paciau a dygwch yn anrheg i'r dyn ychydig **falm** ac ychydig o fêl, glud-pêr, **myrr**, **cnau** ac **almonau**.' (Genesis 43: 11).

Darfu'r gaeaf, darfu'r oerfel,
Darfu'r glaw a'r gwyntoedd uchel;
Daeth y gwanwyn glas eginog,
Dail i'r llwyn, a dôl feillionog.

Ni bu wanwyn well erioed,
I lenwi coed a blode;
Glas yw'r ddaear yn ei llawr,
Mae gobaith mawr am G'lanme.

Mae'r coedydd yn glasu, mae'r **meillion** o'u deutu,
Mae dail y **briallu** yn tyfu 'mhob twyn,
A'r adar diniwed yn lleisio cyn fwyned,
I'w clywed a'u gweled mewn gwiwlwyn

Croeso'r gwanwyn tawel cynnar,
Croeso'r gog a'i llawen lafar;
Croeso'r tes i rodio'r gweunydd,
A gair llon, a gair llawenydd.

Hen benillion

Balm   Ll. *Commiphora gileadensis*   Heb: ṣorî

Roedd resin y goeden hon yn werthfawr iawn. Er mwyn casglu'r glud hwn y cwbwl oedd angen ei wneud oedd rhoi hollt yn y canghennau. Gan fod iddo rinwedd meddyginiaethol defnyddid ef i wrthweithio yn erbyn brathiad neidr, a hefyd fel sylfaen i wneud perarogl.

Yn nyddiau'r Beibl, roedd y goeden **Balm** a dyfai'n Jwdea yn enwog ac yn adnabyddus i haneswyr Rhufeinig fel Pliny a Tacitus.Cyfeiriodd yr hanesydd Iddewig Joseffws ati hefyd.

BALM

Yn Llyfr Genesis cyfeirir at yr Ismaeliaid, y gwerthwyd Joseff iddynt gan ei frodyr, a dywedir eu bod yn teithio i'r Aifft '. . . a'u camelod yn dwyn glud pêr, **balm** a **myrr**, i'w cludo i lawr i'r Aifft'. (Genesis 37: 25).

Yn sicr yr oedd gwerth masnachol i resin **y balm**.

Cred rhai mai brenhines Seba ddaeth â phlanhigyn o'r **balm** yn anrheg i'r brenin Solomon, ond efallai fod y **balm** yn tyfu'n wyllt mewn rhai mannau yn y wlad, ac yna bod y coed wedi cael eu plannu at ddiben masnachol.

Ceir sawl math o'r goeden **balm**, a hawdd cymysgu rhyngddynt.

Er gwaethaf yr enw Lladin *gileadensis* ni thyfodd y goeden erioed yng Ngilead. **Y balm ffug** oedd honno, a thyfai i'r dwyrain o'r Iorddonen a'r gwastadedd o gwmpas y Môr Marw.

Mae ei dail yn wyrdd cyfoethog, ei blodau'n wyn, a'r ffrwyth yn debyg i afal – yn wyrdd ac yna'n troi'n borffor. Cesglir y ffrwythau cyn iddynt aeddfedu er mwyn gwasgu olew ohonynt, a defnyddir y resin hefyd i'r un pwrpas. Gwerthir yr olew o hyd i'r pererinion a ddaw i **Jericho**. Yr enw Arabaidd arno yw *lukkum*.

At hon, mae'n debyg, y cyfeiriodd y proffwyd Jeremeia.
Yn ei ofid dros ei bobl meddai'r proffwyd 'Onid oes **balm** yn Gilead? Onid oes yno ffisigwr?' (Jeremeia 8: 22).

> 'Y mae'r **balm** o ryfedd rin
> Yn Gilead;
> Ac mae yno beraidd win
> Dwyfol gariad'
> Yno mae'r Physygwr mawr,
> Deuwch ato,
> A chydgenwch deulu'r llawr
> Diolch iddo!'
>
> John T. Job

Cyfeirio at hyn wnaeth Mari Lewis yn nofel Daniel Owen, *Rhys Lewis*:
'. . . does dim ond y triagl o Gilead, ac eli o Galfaria a all godi ysbryd cystuddiedig.' (Sgwrs rhwng Mari Lewis a Thomas Bartley)

> Yng nghanol byd y dolur, – yr angen
> A'r ingoedd didostur'
> Y mae i'w gael **falm** i gur
> A Cheidwad i bechadur.
>
> Roger Jones, 'Y Mae Balm i Boen'

GWEDDI

Diolch i Ti Arglwydd, am y profiadau a wna i ni wybod nad nyni yw popeth. Maent i'w cael ym mhobman, boed yng nghefn gwlad neu ynghanol y dref, ac yn arbennig yn y wlad'

*Felly Llŷn ar derfyn dydd–
Lle i enaid gael llonydd.

Diolch am adnewyddiad ysbryd pan fo'r dydd yn ymestyn, a natur yn ymateb i alwad y gwanwyn. Bryd hynny teimlo'n ifanc wna'r hen.

Diolch am bersawr natur pan fôm yn benisel. Arogl heli ar ben llanw; y pridd wedi'r aredig a'r gwair adeg cynhaeaf. Bryd hynny diflanna'r iselder a cheir hwb i'r galon.

Diolch am y munudau prin a ddaw â'th gread a ninnau'n un. Pryd hynny mae bywyd yn gryfach nag angau, ac ni ofynnwn sut a phaham. Cawn falm a rydd i ni eto flas ar fyw.

Diolch am 'ryfedd rin' cyfriniaeth natur a'r solas a ddaw yn ei sgîl. Bryd hynny mae amser yn aros yn ei unfan a bywyd yn dragwyddol. Amen.

'Y mae'r hwn sydd yn myned i rodianna i'w hen wlad enedigol yn ddall i gerrig milltiroedd; mae yn dringo dros y cloddiau, yn crwydro yn y llwyni, yn hel nythod adar, yn casglu cnau a mwyar duon, yn eistedd ar y twmpathau mwsoglyd, ac yn lolian gyda min yr afon, a hynny heb gofio fod ganddo y fath beth ag oriawr yn ei logell.' (Daniel Owen, 'Rhagymadrodd', *Hunangofiant Rhys Lewis*).

* J. Glyn Davies, 'Lleyn', *Cerddi Edern*

Coeden garob   Ll. *Ceratonia siliqua*   Heb: ḥârûbîm

Beth yn union oedd bwyd Ioan Fedyddiwr, ai Locustiaid ynte ffrwyth y goeden **garob** fytholwyrdd?

> 'Yr oedd dillad Ioan o flew camel, . . . a'i fwyd oedd locustiaid a mêl gwyllt.'
>
> (Mathew 3: 4).

Y gair Hebraeg am locustiaid yw *ḥâgâbîm*, sy'n debyg iawn i'r gair Hebraeg am **carob**, sef *ḥârûbîm*.

Byddai'n hawdd iawn camgymeryd y naill am y llall.

Er na cheir cyfeiriad at y goeden **carob** yn y Testament Newydd, cred rhai mai ffrwyth y goeden hon oedd y locustiaid – bwyd Ioan Fedyddiwr.

Codau bras, brown yw'r ffrwyth, tua 20 cm o hyd, wedi iddynt aeddfedu'n llawn. Yn wir, maent yn eitha tebyg i gorff locust. Mae'r hadau'n faethlon iawn, a gwneir surop o'r mwydion ffrwythau, ag iddo ganran uchel iawn o siwgr. Bwyteir y ffrwyth gan ddyn ac anifail.

Ioan Fedyddiwr ddywedodd nad oedd yn deilwng i ddatod carrai sandalau Iesu Grist. (Marc 1: 7)

'Y mae dyn gostyngedig yn debyg i bren da: po lawnaf y ffrwyth y byddo y canghennau, isaf i gyd y maent yn ymblygu.' (Robert Jones, Llanllyfni).

> 'Wrth ei ffrwyth ei hun, y mae pob coeden yn cael ei hadnabod.' (Luc 6: 44).

Yn ei llawn dwf gall y goeden gyrraedd uchder o bymtheg medr, ac mae'n goeden hardd eithriadol. Blodeua'n gynnar iawn yn y gwanwyn – clystyrau o flodau bychain gwyrdd, tebyg i fys, a'r dail yn wyrdd cyfoethog. Nid yw'r ffrwyth yn aeddfedu tan yr haf dilynol.

Er na chyfeirir at y goeden yn yr Hen Destament, fe wneir hynny'n aml yn y *Mishnah* a'r *Talmud* – llyfrau crefyddol Iddewig eraill. Yn y *Talmud* mae hanesyn diddorol am ddoethur a fu'n bwyta ffrwyth **y carob** am ddeuddeng mlynedd, tra'n ymguddio rhag y Rhufeiniaid mewn ogof ym mynyddoedd Galilea.

Ai ffrwyth **y carob** oedd y *locustiaid* y bu Ioan Fedyddiwr yn eu blasu?

Hwyrach hefyd mai codau'r **carob** oedd y cibau y sonnir amdanynt yn Nameg y Mab Afradlon:

> 'Ymfudodd y mab ieuengaf i wlad bell, ac yno gwastraffodd ei eiddo ar fyw'n afradlon. Pan oedd wedi gwario'r cyfan, daeth newyn enbyd ar y wlad honno, a dechreuodd yntau fod mewn eisiau.
>
> Aeth yn weithiwr cyflog i un o ddinasyddion y wlad, ac anfonodd hwnnw ef i'w gaeau i ofalu am y moch. Buasai'n falch o wneud pryd o'r plisg yr oedd y moch yn eu bwyta . . .' (Luc 15: 13-16).

> A gefnodd ar hen gafnau
> A ŵyr hoen edifarhau.
>> Alan Wyn Roberts, Brynsiencyn

COEDEN GAROB

GWEDDI

Arglwydd, creaist y ddaear yn y fath fodd fel y dygodd dyfiant.
Trefnaist i'r llysiau a'r coed ddwyn had a ffrwyth yn ôl eu rhywogaeth, ac ar derfyn y trydydd dydd gwelaist fod hyn yn dda.

Ai da Arglwydd, fod ffrwythau'n rhagori ar ei gilydd mewn maint, ffurf, lliw a blas?
Ai da fod rhai'n ddanteithfwyd ac eraill yn ôl eu rhywogaeth ond bwyd anifail?
Ai da ein bod ninnau hefyd yn ôl ein safleodd a'n swyddi yn freintiedig,
ac eraill o'n plith yn rhy gyffredin a syml i hawlio eu lle yn ein byd?

Arglwydd, diolch am y ffrwythau cyffredin a'r llysiau di-sylw a gadwodd deuluoedd rhag newyn, a'u cynnal mewn cyni.
Diolch am drigolion llariaidd ein daear – y rhai sy' mor ostyngedig fel na wyddant eu bod yn naturiol wylaidd.
Hwy a'n gwna yn genedl wâr. Amen.

Cedrwydden   Ll. *cedrus libani*   Heb: *'erez*

Yn nyddiau'r Hen Destament roedd Lebanon, sydd ar y ffin â Gogledd Israel, yn enwog am ei choedwigoedd a oedd yn cynnwys y coed **cedrwydd**. Coed y mynyddoedd yw'r **cedrwydd** sy'n ffynnu ynghanol eira mewn tir creigiog, sydd bron iawn ddwbl uchder yr Wyddfa.

'Edrych ar Asyria; yr oedd fel **cedrwydden** yn Lebanon, ac iddi gangen brydferth yn bwrw cysgod dros y goedwig, yn tyfu'n uchel, a'i brig yn uwch na'r cangau trwchus' (Eseciel 31: 3).

Cyfeiria'r proffwyd Eseia hefyd at **y cedrwydd** bytholwyrdd fel 'gogoniant Lebanon.' (Eseia 35: 2).

Oedd, roedd gan y **cedrwydd** hawl i fod yn dywysogion ymhlith prennau'r coed:

*Tyfant i uchder mawr, yn aml iawn dros dri deg medr, ac mae iddynt gwmpas anferth a diamedr o ddwy i dair medr, ac mae eu hoes yn para rhwng dwy a thair mil o flynyddoedd!

*Maent yn osgeiddig i edrych arnynt ac yn symbol o urddas a chadernid.

*Mae iddynt arogl hyfryd ac mae ansawdd y pren yn ddiguro i ddiben adeiladu.

*Gwnaed ffortiwn ohonynt gan fod teyrnasoedd cryfion fel Asyria a'r Aifft yn awyddus i brynu'r coed i adeiladu eu temlau a'u palasau.

> '**Y cedrwydd** yw trawstiau ein tŷ
> a'r **ffynidwydd** yw ei ddistiau' (Caniadau Solomon 1: 17).

*Defnyddiodd y brenin Solomon hwy i adeiladu'r deml yn Jerwsalem.

'Anfonodd y neges hon at Hiram brenin Tyrus, "Gwna i mi yn union fel y gwnaethost i Ddafydd fy nhad pan anfonaist iddo **gedrwydd** er mwyn iddo adeiladu tŷ i fyw ynddo. Yr wyf fi am adeiladu tŷ i enw'r Arglwydd fy Nuw a'i gysegru iddo . . . anfon ataf fi hefyd **gedrwydd**, **ffynidwydd**, a **choed almug** o Lebanon, oherwydd gwn fod dy weision yn gyfarwydd â thorri coed Lebanon".'

(11 Cronicl 2: 3,4,8).

Medrai ein cyn-dadau ninnau hefyd ymffrostio yn eu gallu i ddewis y coed iawn i adeiladu ac i wneud offer ohonynt. I wneud:

–trawstiau, dodrefn-bwrdd, cadeiriau, cwpwrdd tri-darn, y cloc a'r ddreser = **coed derw**.

–wyneb i fwrdd y gegin = pren gwyn **y sycamorwydden**.

–buddai gorddi, llwyau, noë a'r lletwad a llestri bwyd eraill = **y sycamorwydden** eto. Nid yw'n bren sy'n gadael ei flas ar y bwyd.

–clocsiau = **gwernen**. Mae'n bren nad yw'n hollti'n rhwydd.

–ffyn, carn cribyn a choes pladur = **collen a'r ddraenen ddu**.

–basgedi, cewyll a chelfi tebyg = **y gollen** eto a'r **helygen**.

CEDRWYDDEN

Gwnaed defnydd o'r **onnen** yn aml gan ei fod yn bren ystwyth ac eto'n wydn. O ran maint, uchder ac arogl mae'r **cedrwydd** yn rhagori ar goed Cymru hefyd!

Galwodd yr hen Israeliaid y **cedrwydd** yn goed Duw a hawdd deall paham. Galwyd y deml ganddynt hefyd yn dŷ o **gedrwydd**. 'Yr oedd yn **gedrwydd** i gyd, heb garreg yn y golwg.'

Roedd y trawstiau a'r to, y parwydydd a'r colofnau cerfiedig a'r allor a oreurwyd ag aur pur, y cwbwl wedi eu gwneud o bren **y gedrwydden**. **Y cedrwydd** oedd y pwysicaf o'r coed bytholwyrdd.

Rhaid fod iddynt gryfder aruthrol i dyfu'n uchel, urddasol ac unionsyth, a hynny heb blygu ynghanol stormydd mynyddoedd Lebanon. Dalient i dyfu am ganrifoedd heb bydru ac eira'r copaon yn eu dyfrhau.

'Mae'r cyfiawn yn blodeuo fel **palmwydd**,
ac yn tyfu fel **cedrwydd** Lebanon.' (Salm 92: 12).

GWEDDI

Arglwydd, gwna ni'n debyg i'r **cedrwydd,** yn uniawn ac urddasol, yn gadarn heb bydredd o'n mewn fel y bôm yn dal pwysau gwyntoedd heb ein difa. Defnyddia ni fel y byddwn yn demlau sanctaidd i'th ysbryd Di drigo ynom.

O! Arglwydd, tyrd i lawr.
Gwna drigfan it dy Hun,
Gwna deml sancteiddiol fawr
O galon aflan dyn;
A thrig yn hon, fel Seion gynt,
Er pob rhyw dywyll stormus wynt. Amen.
William Williams, Pantycelyn

Coeden sitrws   Ll. *Citrus medica*   Heb: '*ethrôg*
'Y Pren Prydferth'   Heb: '*êtz hādār*

Yn ôl eu cyfraith grefyddol roedd rhaid i'r Israeliaid wrth ddathlu gŵyl cynhaeaf y ffrwythau (Gŵyl y Pebyll) ddod â blaenffrwyth gorau'r coed gyda hwy i'r wŷl.Yn yr hen gyfieithiad o'r Beibl cyfeirir at y blaenffrwyth hwn fel 'ffrwyth **y pren prydferth'**.

'Ac ar y diwmod cyntaf yr ydych i gymryd blaenffrwyth gorau'r coed, canghennau **palmwydd**, brigau deiliog a **helyg yr afon**, a llawenhau o flaen yr Arglwydd eich Duw am saith diwrnod.' (Lefiticus 23: 40).

Cred rhai esbonwyr mai'r **goeden sitrws** oedd y goeden dan sylw, ond nid oes sicrwydd o gwbwl mai dyna ydoedd, ond roedd Joseffws yr hanesydd Iddewig (37 C.C. - 100 O.C.) yn dweud mai'r **sitrws** oedd ffrwyth **y pren prydferth**. Prun bynnag am hynny, mae'r Iddewon yn dal i ddod â'r ffrwyth **sitrws** gyda hwy i ŵyl cynhaeaf ffrwythau'r hydref.

Nid yw'n goeden sy'n tyfu'n uchel.

Yn sicr mae'r **pren prydferth** yn enw addas arni gan fod ei blodau mor hardd – blodau â'u petalau'n borffor oddi allan a gwyn oddi mewn a'r briger yn felyn. Melyn hefyd yw lliw croen y ffrwyth, sy'n edrych yn debyg i'r cucumer ond heb fod mor hirgul, ac mae'r sudd yn sur.

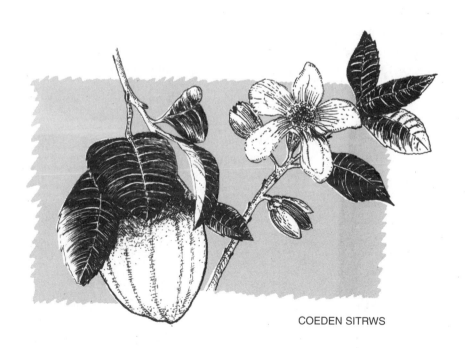

COEDEN SITRWS

Gelwir y ffrwyth weithiau yn *pomum adami* Ll. (**ffrwyth** neu **afal Adda**) gan fod hen goel yn dweud mai hwn oedd y ffrwyth na châi Adda ei fwyta yng Ngardd Eden!

Yng ngŵyl dathlu cynhaeaf y ffrwythau roedd 'blaenffrwyth gorau'r coed' yn symbol o fendithion bywyd, sy'n destun diolch bob amser.

'Dywedodd Duw. "Dyged y ddaear dyfiant, llysiau yn dwyn had, a choed ir ar y ddaear yn dwyn ffrwyth a had ynddo, yn ôl eu rhywogaeth." A bu felly. Dygodd y ddaear dyfiant, llysiau yn dwyn had yn ôl eu rhywogaeth, a choed yn dwyn ffrwyth a had ynddo, yn ôl eu rhywogaeth. A gwelodd Duw fod hyn yn dda.'

(Genesis 1: 11-12).

Gall planhigion fyw hebddom ni, ond mae bywyd yn amhosibl hebddyn nhw. Petaent oll yn gwywo byddem ninnau wedyn yn peidio â bod.

GWEDDI

Diolch i Ti, Arglwydd y cread:
–am fywyd a gwyrth y blodau a ninnau weithiau'n ddigon ffôl i alw rhai ohonynt yn chwyn. Defnyddiaist hwy i droi anialdir tristwch yn ardd llawenydd.

Diolch i Ti:
–am orchuddio hagrwch cors anobaith â harddwch **yr erwaint** a **sidan wen;**
–am gyfoethogi moelni'r mynyddoedd ag **arian y gweiriwr** ac aur **yr eithin;**
–am beintio'r llethrau â phorffor **y grug** a rhwd y **rhedyn;**
–am anadlu arnom awelon maes a môr i adnewyddu corff ac ysbryd – awelon sy'n llawn o berarogl **gweiriau** a **gwymon, meillion** a **mintys gwylltion**.

Pan gollir y blodau fe gollir y cwbwl.
Felly Arglwydd y cread, gwasgara'r paill a'r had fel y pery'r ddaear i flodeuo fel ag erioed.

Diolch wnawn am fwynder hydref,
A'i dawelwch dros y wlad;
Ffrwyth y maes a gwynfyd cartref
Ddaeth o'th ddwylo di, ein Tad;
Dy fendithion sy'n ddi-drai,
Mawr dy gariad i bob rhai. Amen.

R. Bryn Williams

Cwmin   Ll. *Cuminum cyminum*   Heb: *kammôn*

Planhigyn bychan ac eiddil ydyw'r **cwmin**, ac iddo ddail main. Mae pob cangen yn ffurfio'n ffedon, sef clwstwr o flodau ar un goes – blodau pinc neu wyn. Rhyw 30 cm fwy neu lai yw ei uchder.

Yn yr Efengyl yn ôl Mathew, ceir hanes am Iesu'n condemnio athrawon y Gyfraith oherwydd eu gor-fanylder wrth ddegymu, ac yn mynnu cyfri hadau bychain **yr anis** a'r **cwmin** a dail **y mintys**, sef rhoi sylw mawr i bethau dibwys ar draul anwybyddu pethau pwysicaf eu crefydd:

'Gwae chwi, ysgrifenyddion a Phariseaid, ragrithwyr, oherwydd yr ydych yn talu degwm o **fintys**, ac **anis** a **chwmin**, ond gadawsoch heibio bethau trymach y Gyfraith, cyfiawnder a thrugaredd a ffyddlondeb, yr union bethau y dylasech ofalu

CWMIN

amdanynt, heb adael heibio'r lleill. Arweinwyr dall! Yr ydych yn hidlo'r gwybedyn ac yn llyncu'r camell.' (Mathew 23: 23).

'Ardd dy dir; Duw a ry hadyd.' (Hen ddihareb).

Nid planhigyn gwyllt mohono oherwydd rhaid ei drin a'i feithrin. Os oedd gan Mair, mam Iesu ei 'border bach' fel ag yr oedd gan fam y prifardd Crwys, yna nid **mint** a **theim** a **mwsg** a dyfai yn honno, ond yn hytrach **mint, anis** a **chwmin**. Roedd y rhain, y tri fel ei gilydd, yn ddefnyddiol iawn yng nghegin gwraig y tŷ yn nyddiau Iesu.

'Gwell yw pryd o lysiau lle mae cariad,
nag ych pasgedig a chenfigen gydag ef.' (Llyfr y Diarhebion 15: 17).

Defnyddid gronynnau mân ffrwyth y **cwmin** i flasu bara a bwyd, ond roedd hefyd werth meddyginiaethol iddynt, ac roedd yr olew a gaed ohonynt yn ddefnyddiol at wneud persawr.

Byddai bywyd heb hadau a ffrwythau, planhigion a blodau yn amhosibl.

GWEDDI

Arglwydd da, diolch i Ti am gwmni'r blodau.

Rhoist hwy'n gymdeithion i ni ers cyn cof.

Addurnant yr allor ar achlysur bedydd, priodas neu angladd yn symbolau o'n llawenydd a'n tristwch.

Cysurant y cleifion ac weithiau maent yn foddion i'w gwella;

ac i'r rhai dan dwymyn serch pa offrwm gwell na thusw o flodau'r maes.

Yn niwloedd pell ein chwedloniaeth a'n rhamant bu'r rhain yn cynrychioli'r da ac yn amddiffynfa rhag y drwg.

Parhânt o hyd i'n dysgu am ryfeddod a dangos i ni harddwch na ellir rhagori arno byth. Amen.

Danadl poethion   Ll. *Urtica urens*   Heb: ḥārûl

Weithiau yn yr Hen Destament, mae'r geiriau **mieri** a **danadl** yn gyfystyr â'i gilydd gan fod gwreiddeiriau'r naill a'r llall yn golygu llosgi.

Yn Eseia 55: 13 cyfeirir at **fyrtwydd** yn tyfu yn lle **mieri**; ac yn Seffaneia 2: 9 cyhoeddir gwae ar drigolion Moab a'r Ammoniaid:

'Bydd Moab fel Sodom, a'r Ammoniaid fel Gomorra, yn dir **danadl**, yn bentwr o halen, yn ddiffaith am byth.'

Er cyn hanes mae'r **danadl** wedi cael eu damnio ond eto'n ddefnyddiol i ddyn. Gorchuddir y dail â blewiach sydd o'u cyffwrdd yn llosgi'r croen – ohonynt daw asid sydd yn achosi brech lidiog a digon poenus. Nid yw'n rhyfedd felly fod y

DANADL POETHION

danadl yn gyfrwng trosiadau effeithiol wrth fwrw gwawd ar elynion, fel y gwneir yn Seffaneia 2: 9.

> Y mae treftad ysbryd ein tadau tan
> **ddanadl** a **banadl** y byd,
> yr **ysgall** lle bu'r esgor a'r **drain** lle bu'r
> marw drud.
>
> Gwenallt, 'Y Gristionogaeth'

Ond mae'r **danadl** wedi bod yn blanhigyn defnyddiol hefyd ar hyd y canrifoedd: *mor bell yn ôl â'r Oes Efydd roedd ffibr coesau'r **danadl** yn cael ei ddefnyddio i wneud defnydd dillad. Yn wir, gwneid llieiniau ohonynt yn yr Alban yn y ganrif ddiwethaf.

Gwneir defnydd o bopeth ym myd natur; nid oes dim gwastraff. 'Gall blodau teg darddu o domen ffiaidd.'

Robert Ambrose Jones (Emrys ap Iwan), allan o Y Ddau Alwedigaeth

'Yn ogystal ag oglau'r coed eu hunain yr oedd oglau'r ddaear hefyd yn codi'n gryf, oglau tymhorau lawer o ddail y coed wedi blaguro, deilio, crino a disgyn, a chael eu chwythu'n ôl a blaen rhwng y coed, wedyn pydru a throi'n bridd tywyll, ffrwythlon.'

J. G. Williams, Pigau'r Sêr

*yn ystod yr Ail Ryfel Byd cesglid y **danadl poethion** gan fod modd cael cloroffyl ohonynt at wneud ffisig.
*bu'n arferiad unwaith sychu'r dail a'u defnyddio i wneud te **danadl**.

> Mynd i'r ardd i dorri pwysi,
> Pasio'r **lafant**, pasio'r **lili**,
> Pasio'r **pincs** a'r **rhosys** cochion,
> A thorri pwysi o **ddanadl poethion**.
>
> Rhuthro'n noeth i'r dail poethion
> Yw ein greddf trwy'r ddaear gron.
>
> Alan Wyn Roberts, Brynsiencyn

Fel arfer pethau i'w hosgoi ydy **danadl poethion** ac nid pethau i'w casglu a'u bwyta.

CAWL NEU BOTES **DANADL POETHION**

Defnyddier dail ifanc y gwanwyn – llond llaw ar gyfer pob person.

Wedi eu berwi a'u sychu torrer hwy'n fân yn gymysg â **sibols** a'u rhoi mewn dŵr a llefrith i'w berwi eto. Ychwaneger ychydig o flawd **ceirch** i'w dwchu ac fe geir cawl heb ei fath.

Dant y llew   Ll. *Reichardia tingitana*   Heb: *merôrîm*
Llysiau chwerw

Defnyddir llawer o blanhigion teulu **llygad y dydd** fel dail salad a dail crochan. Roedd yr Israeliaid yn defnyddio nifer ohonynt yng ngwledd y Pasg yng nghyfnod yr anialwch ac wedi hynny wrth gwrs.

Mae'n siŵr fod **dant y llew** yn eu plith gan fod anialwch Sinai yn gynefin i'r planhigyn hwn.

'Y maent i fwyta'r cig y noson honno wedi ei rostio wrth dân, a'i fwyta gyda bara croyw a **llysiau chwerw**.' (Exodus 12: 8).

Ceir cyfeiriad arall at **y llysiau chwerw** yn Numeri 9: 10.

Yn nail **dant y llew** mae cynhwysiad uchel o fitaminau A ac C.

Tarddiad Ffrengig sydd i'r enw – *dent de lion* – a chafodd yr enw hwn gan fod clustennau pigfain y dail yn debyg i ddannedd llew.

Ffurfir y blodyn gan tua dau gant o flodigion mân melyn tlws. Bellach mae wedi ymgartrefu mewn nifer helaeth o wledydd.

Gwelir **dant y llew** yn euro porfeydd Galilea a Gwynedd; yn ymwthio trwy graciau ym mhalmentydd Bethlehem a Bangor.

DANT Y LLEW
LLYSIAU CHWERW

Tybed a oedd plant dyddiau mebyd Iesu'n dyfeisio rhigymau wrth chwythu'r manblu sy' fel parasiwt yn cario'r hadau i bob cyfeiriad?

"Mae'n fy ngharu . . ."
Chwythu eto,"Na,tydi ddim . . ."

Neu, "Un o'r gloch" chwythu, "dau o'r gloch" chwythu, "tri o'r gloch" chwythu, ac ymlaen hyd nes bo'r hedyn olaf wedi hedfan ar ei daith.

Mewn rhai rhannau o Brydain gelwir y blodyn yn **gloc yr hen ŵr** neu **gloc y werin**.

Mae hwyl y chwarae'n drech na rhybudd yr hen goel, sef na ddylid ei gyffwrdd, ac os y gwneir, yna mae'r enw gwawd **blodyn piso'n gwely** yn dweud beth fydd canlyniad hynny!

Tybed a oes a wnelo hyn rywbeth â'r ffaith fod i'r blodyn lefel uchel o botasiwm ac fe gollir potasiwm o'r corff dynol wrth basio dŵr yn aml; mae potasiwm hefyd yn dda at garthu a fflysio'r arennau.

Druan o ddant y llew, 'doedd gan y bardd Crwys chwaith ddim gair da iddo:

'Hen estron gwyllt o **ddant y llew**,
A dirmyg lond ei wên,
Sut gwyddai'r hen droseddwr hyf
Fod 'mam yn mynd yn hen?'
Allan o 'Y Border Bach', *Cerddi Crwys*

Os yw un hen goel yn ei wawdio mae un arall yn ei ganmol: Os llwyddir i ddal un o'r manblu sy'n cael ei gario ar adain y gwynt, yna cewch wneud dymuniad, ac fe ddaw yn wir!.

Yn nechrau'r ganrif roedd yn boblogaidd fel dail salad – arferiad sy'n brysur ennill ei le unwaith eto. Nid yn unig mae'r blodyn yn rhoi lliw i'r salad ond hefyd mae'r blas mêl sydd i'r pen melyn yn gwrthweithio surni'r dail.

Tydy dail wedi eu piclo ddim mor adnabyddus â nionod picl, ond y maent yr un mor flasus! Yr hyn sydd ei angen ydy finegr sbeislyd, dail **teim** a **mint** ac ie, dail **maip** a **dant y llew**!

Maent yn gwneud brechdan gyffredin yn un ecsotig a rhoi blas mwy arni.

GWEDDI

Ein Tad, maddau ein bod yn rhai anodd ein plesio. Tra'n rhyfeddu at **ddant y llew** yn patrymu a phrydferthu llawr yr anialwch, rydym yn flin pan fo'n dangos ei hun ar lawnt ein gerddi.

Tithau ar y llaw arall yn glawio a gwenu ar **y gwenith** a'r **erfau** fel ei gilydd. Rhoist rinweddau llesol i'r **wermod** chwerw ei blas; trefnaist i'r **lili ddŵr** dynnu maeth o lygredd llaid gwaelodion cors, a pheri i ddail yr hydref droi'n wrtaith i egin y gwanwyn.

Diolch i Ti am y planhigion oll, gan gynnwys **dant y llew**. Amen.

Garlleg   Ll. *Allium sativum*   Heb: *shûm*

Un cyfeiriad yn unig sydd yn y Beibl at **y cennin**, **y wynwyn** a'r **garlleg**, sef yn Numeri 11: 5-6. Yno cawn hanes yr Israeliaid yn hiraethu am fwydydd yr Aifft pan oeddent yn crwydro'r anialwch dan arweiniad Moses.

'Yr ydym yn cofio'r pysgod yr oeddem yn eu bwyta yn rhad yn yr Aifft, a'r **cucumerau**, **y melonau**, **y cennin**, **y wynwyn** a'r **garlleg**.'

Roedd y **garlleg** yn un o brif fwydydd yr Aifft. Yn un o'r pyramidiau ceir arysgrifiad sy'n dweud y bu can mil o weithwyr am dri deg o flynyddoedd yn adeiladu'r pyramid hwn, a'u bod yn bwyta cennin, **wynwyn** a **garlleg**.

Defnyddid y **garlleg** i flasuso bwyd a hefyd roedd iddynt werth meddyginiaethol tuag at godi archwaeth a threulio bwyd.

GARLLEG

Mae i'r **garlleg** nifer o flodau sy'n ffurfio'n belen, ac weithiau yn lle blodau ymddengys bylbiau bychain. Ym monyn y goes ceir haenau o ddail trwchus ac yn eu plygion a'u ceseiliau mae'r bylbiau'n ymffurfio. O gwmpas y prif fylb ceir mân fylbiau neu ewin fylbiau yn tyfu, sef y *clôfs*. Mae un o'r rhain yn ddigon i flasu saig o gig.

Pan oedd prinder bwyd ar yr Israeliaid yn yr anialwch pwy fedrai eu beio am gwyno ar eu byd a hiraethu am fwydydd gwlad yr Aifft y – pysgod, **melonau**, **cucumerau**, **cennin**, **wynwyn** a **garlleg**.

Ai adlais o hyn a geir yng ngwaith Chaucer tybed?
Mae'n amlwg fod y clerc a'r yswain; y marchog a'r person; y melinydd twyllodrus ac eraill o'r pererinion dychmygol hyn yn hoffi blasu planhigion teulu'r **wynwyn**!

> 'Roeddem yn hoffi **garlleg**, **wynwyn**, ac yn bwyta **cennin**,
> a gwin cryf i'w yfed, yn goch fel gwaed.'
>
> Geoffrey Chaucer, o'r prolog *Chwedlau Caergaint*

Ond go brin fod y briores mor swynol ag y tybiai os oedd arogl **garlleg** ar ei hanadl!

> Siŵr o fai, os sawr ei fwyd
> A'i fyw sy'n od drwy'i fywyd.
>
> Alan Wyn Roberts, Brynsiencyn

Ond mae'n siŵr fod y **garlleg** yn tyfu ymhlith y **rhosod** yng ngardd y lleiandy oherwydd credai garddwyr y Canol Oesoedd fod y **garlleg** yn ddiguro am atal llau-dail rhag ymosod a difa'r **coed rhosod**.

GWEDDI

Arglwydd, mae'n anodd credu bod cymaint o bobl na wyddant y gwahaniaeth rhwng blodyn a blodyn – rhwng **llygad y dydd** a **llygad Ebrill**, rhwng **blodyn llefrith** a **blodyn y gwynt**.

Gweiryn yw gweiryn i'r rhan fwyaf ohonom, er bod sawl math yn tyfu ar fin y ffordd.
Gofalaist fod lle i bob planhigyn a phwrpas i'w bodolaeth:
–rhai yn llesol er yn chwerw eu blas;
–rhai yn perarogli'r gwrychoedd er yn ddi-liw a di-lun;
–eraill yn lliwgar hardd ond yn wenwyn pur.
Diolch i Ti amdanynt oll, **y melonau** a'r **cennin**, y **grawnwin** a'r **garlleg**.

> O! ddigyffelyb flas,
> O! amrywioldeb lliw,
> Hyfryta' 'rioed a gad
> Ar erddi gwlad fy Nuw. Amen.
>
> William Williams, Pantycelyn

Gwinwydden   Ll. *Vitis vinifera*   Heb: *gephen*   Gr: *ampelos*

Mae i'r **winwydden** a'r winllan le amlwg a phwysig yn llenyddiaeth yr Hen Destament.

* Cyfeirir at Noa fel y cyntaf i amaethu'r **winwydden.**

  'Dechreuodd Noa fod yn amaethwr. Plannodd winllan . . .'
  Ond aeth Noa dros ben llestri! '. . . ac yna yfodd o'r gwin nes meddwi, a gorwedd yn noeth yn ei babell.' (Genesis 9: 20).

* Yn Llyfr Numeri 13: 23 ceir hanes am Moses yn anfon ysbiwyr i archwilio gwlad yr addewid. O gofio fod **grawnwin** yr Aifft yn rhai bychain, mae'n siŵr fod yr Israeliaid wedi rhyfeddu pan welsant y clystyrau enfawr o **rawnwin** ddaeth yr ysbiwyr yn ôl gyda hwy:

  'Pan ddaethant i Ddyffryn Escol, torasant gangen ac arni glwstwr o **rawnwin**, ac yr oedd dau yn ei chario ar drosol.'

* Yn y Beibl mae'r **winwydden** yn arwydd o fendith Duw.

  '"Wele'r dyddiau'n dod," medd yr Arglwydd, "pan ddaw'r cynhaeaf yn union ar ôl aredig, a sathru'r **grawnwin** yn union ar ôl yr hau; bydd y mynyddoedd yn diferu gwin newydd, a'r bryniau yn ymdonni.
  Adferaf lwyddiant fy mhobl Israel".' (Amos 9: 13).

* Daeth **y winwydden** yn symbol cenedlaethol i'r Iddew. Arferid cerfio sypiau o **rawnwin** ar bileri y synagogau, beddau a dodrefn. Daeth yn arwyddlun cyffredin ar grochenwaith ac arian Iddewig.

Yn yr Hen Destament cyffelybir y wlad a'r genedl i winllan, a'r arwyddocâd mwyaf ysbrydol sydd i'r **winwydden** yw geiriau Iesu Grist:

'"Myfi yw'r wir **winwydden**, a'm Tad yw'r gwinllanwr".' (Ioan 15: 1).

> Gwinllan a roddwyd i'm gofal yw Cymru fy ngwlad,
> I'w thraddodi i'm plant
> Ac i blant fy mhlant
> Yn dreftadaeth dragwyddol.
>> Saunders Lewis, allan o *Buchedd Garmon*

> Dros Gymru'n gwlad, O! Dad, dyrchafwn gri,
> Y winllan wen a roed i'n gofal ni;
> D'amddiffyn cryf a'i cadwo'n ffyddlon byth,
> A boed i'r gwir a'r glân gael ynddi nyth.
> Er mwyn dy Fab a'i prynodd iddo'i hun
> O! crea hi yn Gymru ar dy lun.
>> Lewis Valentine

GWEDDI

Ein Tad, yn ôl dy Fab, Ti yw'r gwinllanwr ac yntau'r **winwydden**, felly ninnau yw'r canghennau.

Ers cyn cof defnyddiaist y pren yn gynhaliaeth i'th bobl yng ngwlad yr addewid – mae'r gwres yno mor llethol; ac mae'r **grawnwin** yn ddiguro i ddiodi'r sychedig.

Ond gwyddost ein Tad am ein syched ysbrydol hefyd.

Diolch i Ti am wahoddiad y cymun – 'Yfwch bawb o hwn'.

'Myfi yw'r Wir **Winwydden**'.

Diolch am y fraint o gael perthyn i'r pren. Amen.

GWINWYDDEN

Tydi yw'r Wir **Winwydden**, Iôr,
   Sy'n fythol ir a byw,
A ninnau yw'r canghennau sydd
   Dan bla ein dydd yn wyw.

O! deued llaw drugarog ,Iôr,
   I'n trin a'n llwyr lanhau,
A doed y nodd sydd ynot ti
   I'n treiddio a'n bywhau.

O! cadwer ni yn iach, ein Iôr,
   Heb arnom bla na haint,
Nes ffrwythwn oll yn helaeth iawn
   Fel grawnwin llawn eu maint. Amen.

Arthur Williams

Iesu, y Wir Winwydden

"Myfi yw'r wir **winwydden**, a'm Tad yw'r gwinllannwr.
Y mae ef yn torri i ffwrdd bob cangen ynof fi nad yw'n dwyn ffrwyth, ac yn glanhau pob un sydd yn dwyn ffrwyth, er mwyn iddi ddwyn mwy o ffrwyth.
Yr ydych chwi eisoes yn lân trwy'r gair yr wyf wedi ei lefaru wrthych.
Arhoswch ynof fi, a minnau ynoch chwi. Ni all y gangen ddwyn ffrwyth ohoni ei hun, heb iddi aros yn y **winwydden**; ac felly'n union ni allwch chwithau heb i chwi aros ynof fi.
Myfi yw'r winwydden; chwi yw'r canghennau. Y mae'r hwn sydd yn aros ynof fi, a minnau ynddo ef, yn dwyn llawer o ffrwyth, oherwydd ar wahân i mi ni allwch wneud dim." (Ioan 15: 1-5)

Haidd neu barlys   Ll. *Hordeum vulgare*   Heb: *se^eôrâh*
Gr: *Krithê*

Ystyr yr enw Hebraeg yw 'blewyn' neu 'wallt hir' a hawdd deall pam.

'Cyflog diwrnod am chwart o **wenith**, cyflog diwrnod am dri chwart o **haidd.**'

(Datguddiad 6: 6).

Mae'n amlwg yn ôl yr adnod o Lyfr Datguddiad fod **gwenith** yn well ac yn fwy gwerthfawr na **haidd.**

Roedd modd tyfu **haidd** mewn ardaloedd gweddol sych lle na cheid llawer o law. Heuid yr **haidd** o Hydref i Dachwedd a'i fedi yn y gwanwyn. Aeddfedai fis yn gynharach na **gwenith**, a dyna pam y defnyddid **haidd** fel offrwm (*omer*) yng Ngŵyl y Pasg, tra roedd grawn blaenffrwyth cynhaeaf **gwenith** yn cael ei gyflwyno yn offrwm yng Ngŵyl y Pentecost, a ddethlid yn ddiweddarach. Ar ddiwedd y gaeaf byddent yn hau eto eilwaith i gael dau gynhaeaf. Dyma fwyd bob dydd y bobl gyffredin yng nghyfnod yr Hen Destament. Yn sicr, bara'r bobl dlawd oedd **bara barlys**. Mae llai o brotein mewn **haidd** nag sydd mewn **gwenith**, ac roedd torth **haidd** ar fwrdd y gegin yn symbol o dlodi.

Yn stori Porthi'r Pum Mil (Ioan 6: 1-13) cyflwynodd y bachgennyn bum **torth haidd** a dau bysgodyn i Iesu Grist. Awgryma hyn mai bachgen cyffredin ydoedd.

Yn nechrau'r bedwaredd ganrif ar bymtheg, **haidd** oedd prif fwyd y werin yng Nghymru hefyd.

'Ni thyfid nemor ddim **gwenith** yn y rhan o Gwm Eithin lle y trigiannwn i, ac ni welid tamaid o fara gwyn ond ar y Sul o un pen i'r flwyddyn i'r llall, dim ond **bara ceirch** a **bara haidd.**' (Hugh Evans, allan o *Cwm Eithin*).

Ceir sawl cyfeiriad yn y Beibl at **yr heidden**:

* Deuteronomium 8: 8 – cyfeirir at Wlad yr Addewid fel 'gwlad lle mae **gwenith** a **haidd, gwinwydd, ffigys** a **phomgranadau** . . .'
* Exodus 9: 31 – sonnir am y pla taranau a chenllysg yn difetha'r **haidd**.
  'Yr oedd **y llin** a'r **haidd** wedi eu difetha, oherwydd bod **yr haidd** wedi hedeg a'r **llin** wedi hadu . . .'
* Barnwyr 7: 13 – cymherir cleddyf Gideon â thorth o **fara haidd** yn rhowlio trwy wersyll Midian, a phan ddoi at babell, yr oedd yn ei tharo a'i thaflu a'i dymchwel.
* Yn Llyfr Job sonnir am **fieri** yn tyfu yn lle **gwenith**, a chwyn yn lle **haidd.**

(Job 31: 40).

Mae sawl cyfeiriad at **haidd** yn yr Hen Destament, fel **y dorth haidd** yn Eseciel 4: 12, neu Eseia'n sôn am aredig y tir a'i lyfnu a'i lefelu ar gyfer hau **gwenith** a **haidd.** (Eseia 28: 24-25).

Pan y gwelych **ddraenen wen**
A gwallt ei phen yn gwynnu,
Mae hi'n gynnes dan'i gwraidd,
Hau dy **haidd** os mynni.

Cwrw brag **haidd** a'm gyrrodd i o'm co';
Dywedwch a fynnwch, cwrw ydyw fo;
Wel deuwch i'r Foty a chewch beint o faidd,
Mae'n well ichwi hwnnw na chwrw brag **haidd**.

Hen benillion

HAIDD

Helygen   Ll. *Salix alba*   Heb: *'arābîm*

Dyma'r pedwerydd planhigyn yr oedd yr Israeliaid i fynd â fo gyda hwy i Ŵyl y Pebyll. (Lefiticus 23: 40).

Tybed ai symbol o dristwch oedd brigau'r **helygen**? Os felly, pam diolch am ddagrau? Yr ateb hwyrach yw nad diolch am stormydd bywyd a wnai'r Israeliaid,ond diolch fod Duw gyda hwy yn eu cynnal yng nghanol y storm.

> 'Fe all mai'r storom fawr ei grym
> A ddaw â'r pethau gorau im.'
>
> J. G. Moelwyn Hughes

Hoff gynefin **yr helyg** yw wrth ymyl nentydd a ffynhonnau, yn arbennig glannau'r Iorddonen yn y gogledd.

> 'Dyma'r hyn a ddywed yr Arglwydd a'th wnaeth . . .
> . . . tywalltaf fy ysbryd ar dy had . . .
> tarddant allan fel glaswellt,
> fel **helyg** wrth ffrydiau dyfroedd.' (Eseia 44: 2-4).

Yn y de wedyn **y poplys Ewffrates** sy'n tynnu o ddŵr yr afon, gan ei bod erbyn hyn yn hallt; ac mae'r **boplysen** yn wahanol i'r **helygen** yn medru goddef dŵr hallt.

Cyfeirir at **poplys Ewffrates** fel **helyg** yn Salm 137: 1-4.

> 'Ger afonydd Babilon yr oeddem yn eistedd ac yn wylo
> wrth inni gofio am Seion.
> Ar yr **helyg** yno y bu inni grogi ein telynau.
> . . . Sut y medrwn ganu cân yr Arglwydd
> mewn tir estron?'

Dyna oedd profiad Hedd Wyn hefyd adeg y Rhyfel Byd Cyntaf:

> 'Mae'r hen delynau genid gynt
> Ynghrog ar gangau'r **helyg** draw,
> A gwaedd y bechgyn lond y gwynt,
> A'u gwaed yn gymysg efo'r glaw'
>
> Ellis Humphrey Evans, 'Mewn Album',
> *Cerddi'r Bugail*, Hedd Wyn

Hawdd galw **poplysen Ewffrates** yn **helygen** oherwydd mae dail **y boplysen** pan fônt yn ifanc yn debyg iawn i ddail hirgul yr **helygen**.

Gwyrdd cyfoethog yw rhan uchaf y dail, a gwyn oddi tanynt. Fel y **blodau y gwyddau bach** (*catkins*) – maent yn eithriadol o brydferth.

'Dydd Mercher, 10 Ebrill.
Diwrnod heulog braf a'r haul yn gynnes. Mae'r goeden **helyg** yng ngardd y Wern yn un gawod o gynffonnau gwyddau bach, ac mor hardd nes bod rhywun yn meddwi wrth edrych arni.' (Bethan Wyn Jones, allan o *Bwrw Blwyddyn).*

Wrth ddychmygu **yr helyg** hardd yn tyfu ger glannau'r afonydd ,hawdd yw deall cymhariaeth y proffwyd Eseia:

'Tarddant . . . fel **helyg** wrth ffrydiau dyfroedd.'

GWEDDI

Ein Tad, go brin dy fod yn rhoi profiadau chwerw i'th blant.
Sychu dagrau yw dy hanes Di.
Eto, 'rwyt yn eu defnyddio os nad wyt yn eu dymuno, a throi pob deigryn yn berl.
Ti'n unig fedr droi y gwaethaf er gwell.
Os bu'r **helyg** unwaith yn arwydd o dristwch, gwna i ni gofio eu bod yn ffynnu ger y ffynhonnau, ac yn tyfu'n agos i nentydd a 'ffrydiau dyfroedd'.

Gwna fi fel pren planedig, O! fy Nuw
Yn ir ar lan afonydd dyfroedd byw. Amen.

Ann Griffiths, Dolwar Fach

HELYGEN

Isop Syriaidd   Ll. *Origanum Syriacum*   Heb: *'êzôb*
Gr: *hwssôpos*

> 'Dewis, dewis, dau ddwrn,
> p'run gymra' i ond . . . hwn!'

Felly'n union yw hi gyda'r **isop**. Hwyrach fod eisiau tri dwrn i ddewis ohonynt!
Mae ansicrwydd mawr ymhlith ysgolheigion Hebreig ac arbenigwyr ym myd
botaneg, pa blanhigyn yn union yw **isop** y Beibl.

Ai'r **isop Syriaidd** yw'r un y sonnir amdano? Cyfeirio a wna'r gair Hebraeg
'êzôb at blanhigyn a glymid yn dusw ac a ddefnyddid fel brwsh i wasgaru gwaed
ar gapanau a physt drysau tai er puro'r tai a'u cadw rhag afiechyd y gwa-
hanglwyf. Defnyddid ef hefyd mewn seremoniau crefyddol. (Numeri 19: 6).

Yn sicr credid fod i'r planhigyn rinweddau puredigaeth ysbrydol.

> 'Pura fi ag **isop** fel y byddwyf lân;
> golch fi fel y byddwyf wynnach nag eira.' (Salm 51: 7).

ISOP SYRIAIDD

Bellach **isop** yw'r cyfieithiad confensiynol o *'êzôb.*

Mae'n hen arferiad ac yn ddadodiad gan genedl y Samariaid i ddefnyddio **isop Syriaidd** i daenellu gwaed aberth y Pasg, ac maent yn parhau i wneud hyn hyd heddiw.

Defnyddir ef hefyd gan yr Arabiaid i flasu bwyd ac mae'n berlysieuyn poblogaidd ganddynt, a hawdd deall pam oherwydd mae'n perthyn i deulu'r mintys (*marjoram*).

Mae'r **isop** yn blanhigyn cryf ac iddo lawer o goesau blewog ac mae'n tyfu i uchder o 70 cm. Ar ben y coesau ceir clystyrau o flodau sy'n cael eu cynnal gan ddail bychain gwlanog. Felly mae'r **isop** yn ei gynnig ei hun fel planhigyn addas i wneud tusw i ddal a gwasgaru gwaed.

Yn I Brenhinoedd 4: 33 wedyn, cyfeirir at '**yr isop** sy'n tyfu o'r pared.' Planhigyn arall oedd hwnnw, oherwydd nid yw'r **isop Syriaidd** yn tyfu ar waliau.

Yn llyfrau Exodus, Lefiticus a Numeri cysylltir **isop** ag anialwch Sinai, ond anaml iawn y gwelir **yr isop Syriaidd** yn tyfu yno. Ond mae'r anialwch hwn yn gynefin naturiol i'r llwyni **caprys**; ac mae'r **gaprysen** yn tyfu ar waliau hefyd. Ai dyma'r **isop** Beiblaidd?

> 'Dewis, dewis, tri dwrn,
> p'run gymra'i ond . . . hwn!'

Mae lle i gredu nad y **gyprysen** na'r **isop Syriaidd** yw'r **isop** y cyfeirir ati yn Efengyl Ioan, ond math o **wenith** a elwir yn **ŷd Jerwsalem** (*sorghum vulgare*). Mae iddo goesau hir a gall dyfu i uchder o ddwy fedr.

Ai coesyn **yr isop** hwn a ddefnyddiwyd fel gwialen i roi'r ysbwng arni i ddiodi Iesu Grist adeg y croeshoeliad?

Fel yr oedd Iesu Grist ar fin marw dywedodd fod arno syched, a llanwyd ysbwng â gwin sur a'i ddodi ar wialen **isop** a'i godi at wefusau Iesu.

'Yr oedd llestr ar lawr yno, yn llawn o win sur, a dyma hwy yn dodi ysbwng, wedi ei lenwi â'r gwin yma, ar ddarn o **isop**, a'i godi at ei wefusau. Yna, wedi iddo gymryd y gwin, dywedodd Iesu, "Gorffennwyd." Gwyrodd ei ben, a rhoi i fyny ei ysbryd.' (Ioan 19: 29-30).

GWEDDI

Arglwydd, gwneir mwy nag un defnydd o sawl llysieuyn. Rhoist i'r **isop** bersawr a rhinweddau iachusol, eto nid islaw hwn yw plygu'n isel. Nid pob planhigyn wna wialen neu frwsh llaw.

Agor ein llygaid fel y gwelwn werth ym mhawb, a gwna ninnau'n fwy gwylaidd a hyblyg, ac yn barod i gymeryd arnom '*agwedd gwas*' er lles eraill. Amen.

Lili'r maes /anemoni coronog
Ll. *Anemone coronaria*
Gr: *krinon*

Y lili wen
Ll. *Lilium candidum*   Heb: *shûshan a shôshan*

Ceir pob math o flodau gwyllt yn tyfu yng Ngalilea – **clychau'r gog, blodau'r gwynt, llygad y dydd, rhosynnau'r graig** ac eraill. Beth am **lili'r maes** y cyfeiriodd Iesu Grist ati?

'Ystyriwch **lili'r maes**, pa fodd y mae'n tyfu; nid yw'n llafurio, nac yn nyddu. Ond 'rwy'n dweud wrthych, nid oedd gan hyd yn oed Solomon yn ei holl ogoniant wisg i'w chymharu ag un o'r rhain.' (Mathew 6: 28).

LILI'R MAES

Y LILI WEN

GWEDDI

Ein Tad, does dim rhyfedd i Iesu ddweud 'Ystyriwch **lili'r maes**, pa fodd y mae'n tyfu' a Thithau wedi peintio bryniau Nasareth yn borffor, glas a phinc. Dy fysedd di fu'n brodio'r dolydd yn dapestri o liwiau'r enfys, ac yn plannu **papi'r ŷd** fel bo llethrau Galilea fel petai dafnau gwaed ar hyd y lle.

Ar ddechrau pob gwanwyn gwelodd Iesu lannau'r nentydd yn ffrwydriad o flodau a glaswellt, ac yn ôl dy Fab, Ti sy'n eu dilladu oll.
Felly ni ddylem bryderu a gofyn 'Beth rydym i'w wisgo?'
Diolch dy fod yn ein dilladu ni yn llawer mwy. Amen.

Yn nyddiau'r Testament Newydd defnyddid y gair **lili** am sawl math o flodau. Cred rhai mai **iris melyn y dŵr** yw'r **lili** y cyfeiria Hosea ati:

> 'Byddaf fel gwlith i Israel;
> blodau fel **lili** . . .' (Hosea 14: 5).

Yn draddodiadol tybir mai'r **anemoni coronog** yw'r **lili'r maes** y cyfeiriodd Iesu ati.Yn dilyn glaw cynnar dechrau'r gwanwyn mae'r **anemoni** yn blodeuo wrth y miloedd drwy'r wlad, nes bod pob maes a bryn a hyd yn oed yr anialdir tywodlyd yn borffor tanllyd. Hwn yw lliw cyffredin **yr anemoni coronog** er bod rhai mathau prinnach sy'n binc a glas hefyd.

Felly term yw **lili'r maes** am flodau gwyllt hardd. Arall yw'r wir **lili** a dyfai ym mynydd-dir Galilea a mynydd Carmel.

Hon yw'r wir **lili** a oedd yn symbol o ffrwythlondeb a harddwch yn yr Hen Destament.

Addurnwyd cnapiau ar ben colofnau teml Solomon â **phomgranadau** cerfiedig a hefyd gerfiadau o'r **lili.** (I Brenhinoedd 7: 19,22,26).

Yn ddiweddarach yn y cyfnod Cristnogol daeth yn symbol o burdeb, sancteiddrwydd a'r atgyfodiad. Dyna pam y rhoddwyd iddi'r enw **lili Forwyn.** Enw addas iawn ar flodyn mor wyn a gosgeiddig.

Yng ngwaith arlunwyr cyfnod y Dadeni Dysg, meistri fel *Titian* a *Botticelli*, portreadir Mair gyda'r **lili** yn ei llaw.

> Calon lân yn llawn daioni,
> Tecach yw na'r **lili** dlos,
> 'Does ond calon lân all ganu –
> Canu'r dydd a chanu'r nos.
>> Daniel James (Gwyrosydd)

Llin Ll. *Linum usitatissimum* Heb: *pishtâh*

Gweneid defnydd o ffibr y planhigyn hwn i bwrpas nyddu mor bell yn ôl â'r flwyddyn 5000 C.C. Roedd mor bwysig â gwlân fel deunydd at wneud dillad. Y broses arferol oedd mwydo'r coesau mewn dŵr nes bod y plisg allanol yn pydru, yna cribo'r bywyn fel ei fod yn hollti ac yn gwahanu'n edafedd wrth ei bilio oddi ar y goes.

Mae tri ystyr i'r gair Hebraeg *pishtâh*, sef y planhigyn ei hun, y ffibr a'r lliain a wnaed ohono.

Cyfeirir yn aml at **lin** neu liain yn y Beibl,ac mae hynny'n profi ei bwysigrwydd a'i ddefnyddioldeb.

Mae'n bosib mai o **lin** y gwnaed y 'cadachau', sef dillad y baban Iesu (Luc 2: 7). Os felly, gwnaed ei ddillad ar ddechrau a diwedd ei fywyd daearol o liain. Cafodd Joseff o Arimathea ganiatâd Pilat, y rhaglaw Rhufeinig, i dynnu corff Iesu oddi ar y groes:

'Wedi ei dynnu ef i lawr a'i amdói mewn lliain, gosododd ef mewn bedd wedi ei naddu, lle nad oedd neb hyd hynny wedi gorwedd' (Luc 23: 53).

Yn Llyfr y Diarhebion disgrifir y wraig fedrus, rinweddol fel un yn

'. . . ceisio gwlân a **llin**,
ac yn cael pleser o weithio â'i dwylo.'

Roedd amser pryd y tyfid **llin** yng Nghymru mewn gardd, cornel cae a thalar, ac yna ei nyddu i gael deunydd gwisgoedd a sachau ohono. Ond bellach, perthyn i ddiwydiannau coll Cymru y mae'r grefft o nyddu a thrin troell edafedd **llin** a gwlân. Mae cardio a throell erbyn hyn yn enwau dieithr. Yr un mor ddieithr hefyd yw enwau planhigion fel **llin**, **llwynhidydd**, **plu'r gweunydd**, **erwaint** a **maglys**. Gresyn o beth, gan fod hud, rhamant a miwsig yn sŵn yr enwau.

LLIN

GWEDDI

'Tydi a luniaist gerdd a sawr,
A gwanwyn yn y llwyn,'
derbyn ein diolch am ambell i gornel o'r wlad 'ma lle ceir yno o hyd 'flas y cynfyd'.
Rhoist inni 'awdurdod ar waith dy ddwylo' a diolch fod rhai yn parchu'r fam ddaear ac yn gwarchod planhigion, blodau a gweiriau.
Mae eu henwau yn darllen fel barddoniaeth:
blodau'r gwynt, **plu'r gweunydd**, **glaswellt y dŵr** a **llin**.
Cadw ni rhag eu dinistro. Amen.

Manna   Heb: *Mân*

'Bara o'r nef'
a 'pherth yn llosgi heb ei difa'

Gwawr wen dros y ddaear grin – yn olud
O gynhaliaeth gyfrin,
Bara i blant y llwybrau blin,
Bara'r Iôr i bererin.

Tîm Talwrn Bro Ddyfi

MANA

Yn aml iawn mae'r gwyrthiol i'w ddarganfod yn y naturiol, a'r naturiol yn wyrthiol.

Yn Llyfr Exodus ceir hanes am 'fara o'r nef', sy'n rhyfeddol a dweud y lleiaf:

'Pan gododd gwlith, yr oedd caenen denau ar hyd wyneb yr anialwch, mor denau â llwyd-rew ar y ddaear.
Gwelodd yr Israeliaid ef, a dweud wrth ei gilydd, "Beth yw hwn?" Dywedodd Moses wrthynt, "Hwn yw'r bara a roddodd yr Arglwydd i chwi i'w fwyta."

(Exodus 16: 14-15).

Ystyr y gair manna (*mân*) yw 'Beth yw hwn?'

Awgrymwyd bod y gair Hebraeg am **fanna** wedi deillio o'r geiriau a lefarodd yr Israeliaid pan welsant ef ar wyneb yr anialwch, sef 'Beth yw hwn?' *(mân hû)* (Exodus 16: 15).

Dywed rhai mai hylif melys ydyw, sy'n diferu o'r goeden **crugwydd** (*tamarisk*) wrth i bryfaid bychain dyllu'r brigau. Ond ychydig iawn o'r coed hyn sy'n tyfu yn anialwch Sinai, tra ar y llaw arall mae rhan ddeheuol yr anialwch yn gynefin i'r coed *hammada gwyn*. Digwydd yr un peth i'r coed hyn hefyd; a hyd y dydd heddiw mae'r Bedwyn, yr arab crwydrol, yn casglu'r hylif a'i ddefnyddio i felysu ei fwyd, yn arbennig cacennau.

'Rhoddodd tŷ Israel yr enw **Manna** arno: yr oedd fel had **coriander**, a'i flas fel **afrlladen** wedi ei gwneud o fêl.' (Exodus 16: 31).

Mae'r adnod hon yn cadarnhau y melyster sydd i'r **manna**.

GWEDDI

Diolch i Ti Arglwydd:
–am y dorth nad oes rhaid ei thylino,
–yr un nad oes rhaid ei phobi,
–y dorth nas gwelir mohoni ar silff y siop
  na chwaith ar fwrdd y gegin i'n digoni dros dro.

Diolch i Ti:
–am y bara na ellir ei brynu.
Nid 'ein bara beunyddiol'
ond y bara sy'n para byth.
–Y bwyd bywiol sy'n Fara'r Bywyd.
–Bara cofio bwrdd y cymun
a dorrir trosom a ninnau'n annheilwng o'r briwsion
sy'n syrthio oddi ar y bwrdd.

Diolch am eiriau Iesu,
'Myfi yw Bara'r Bywyd.' Amen.

Coeden gasia Ll. *Casia senna* Heb: s^e*neh*
'Perth yn llosgi heb ei difa'

Hefyd yn llyfr Exodus ceir hanes am Moses yn bugeilio defaid ar gyrion yr anialwch ger mynydd Horeb. Yno y gwelodd y berth yn llosgi heb ei difa.

'Dywedodd Moses "Yr wyf am droi i edrych ar yr olygfa ryfedd hon, pam nad yw'r berth wedi llosgi?"' (Exodus 3: 1-3).

Ddaru Duw ddatguddio ei hun i Moses mewn ffordd oruwchnaturiol?

Nid yw botanegwyr a chyfieithwyr yn sicr pa goeden oedd hon, ac awgrymir sawl llwyn ganddynt. Y fwyaf tebygol yw'r **goeden gasia** – *cassa senna*. Yr enw Arabaidd arni yw *sene*, sy'n debyg iawn i'r s^e*neh* Hebreig. Mae anialwch Sinai yn gynefin i'r llwyn bychan hwn a'i flodau mawr melyn. Pan fo pelydrau tanbaid yr anialwch yn disgleirio ar y blodau melyn llachar, hawdd iawn dychmygu rhith fflamau'n dod o'r goeden.

'Sefais mewn syndod yng nghanol un goedwig. Yr oedd llawer o'r dail eto'n aros ar y coed, ond yr oedd y gwyrdd wedi mynd i gyd, a choch a melyn wedi cymryd ei le. Ac yr oedd tân megis yn gwrido yn y coch ac yn cynnau yn y melyn. Yr oedd y berth yn llosgi, a'r goedwig wedi ei gweddnewid i ogoniant na freuddwydiaswn i am ei debyg.' (O. M. Edwards, allan o *Yn y Wlad ac Ysgrifau Eraill*).

COEDEN GASIA

Miaren / mwyar duon   Ll. *Rubus sanguineus*   Heb: *'āṭād*

A yw'r arferiad o hel **mwyar duon** mor boblogaidd ag y bu? Yn sicr mae teisen **fwyar duon** mor flasus ag erioed!

Gan fod tiroedd Israel yn gynefin naturiol i'r **fiaren** mae'n siŵr fod y deisen wedi tynnu dŵr i ddannedd Iesu a'i gyfoedion fel y gwna i ninnau heddiw.

Os yw'r ffrwyth yn flasus mae'n hawdd tynnu gwaed wrth eu casglu gan fod dail a changhennau'r **fiaren** mor bigog. O adael llonydd i'r llwyn buan iawn mae'n hawlio ei le gan ymestyn a chordeddu ei ganghennau o gylch planhigion eraill a'u mygu.

'. . . tyfed **mieri** yn lle **gwenith**, a chwyn yn lle **haidd**.' (Job 31: 40).

MIAREN
MWYAR DUON

45

Llys Ifor Hael, gwael yw'r gwedd,– yn garnau
  Mewn gwerni mae'n gorwedd;
    Drain ac **ysgall** mall a'i medd,
    Mieri lle bu mawredd.

Ieuan Brydydd Hir, englynion ar 'Lys Ifor Hael'
o Faesaleg, yn swydd Fynwy

Un ffordd o'u difa yw gwneud deunydd tanwydd ohonynt, fel y gwna'r Arabiaid hyd y dydd heddiw.

'Cynt cwymp **dar** na **miaren**.'

Yn Llyfr y Barnwyr ceir hanes diddorol am un o'r enw Jotham yn gwneud defnydd mewn dameg o'r **fiaren**, er mwyn beirniadu a chondemnio pobl Sichem am ddewis gŵr o'r enw Abimelech yn frenin arnynt.

'Daeth y coed at ei gilydd i eneinio un o'u plith yn frenin. Dywedasant wrth yr **olewydden**, 'Bydd di yn frenin arnom.' Ond atebodd yr **olewydden**, 'A adawaf fi fy mraster, yr anrhydeddir Duw a dynion trwyddo, a mynd i lywodraethu ar y coed?'

(Yn yr un modd gwrthod bod yn frenin wnaeth y **ffigysbren** a'r **winwydden** hefyd.)

'Yna dywedodd yr holl goed wrth y **fiaren**, "Tyrd di; bydd yn frenin arnom." Ac meddai'r **fiaren** wrth y coed, "Os ydych o ddifri am f'eneinio i yn frenin arnoch, dewch a llochesu yn fy nghysgod".' (Barnwyr 9: 7-15).

Yn Efengyl Luc 6: 44 ceir hanes am Iesu Grist yn cyfeirio at **y fiaren** a dweud, 'nid oddi ar lwyni **mieri** y mae tynnu **grawnwin**.'

Rhaid cyfaddef fod i'r **fiaren** hefyd ffrwyth blasus, a blodau gwyn neu binc hardd, heb fod yn annhebyg i rosod gwyllt.

'Hanner y ffordd rhwng Rhostryfan a rhan isaf y Waun-fawr, yr oedd darn o dir a elwid yn "Bicall".

Yr oedd yno ddigon o **goed cyll** a **choed mwyar duon**, a dyna ein cyrchfan ni yn nechrau Medi. Os byddai'r ysgol heb agor byddem yn cychwyn ar doriad y dydd i hel **mwyar duon** i'r Bicall, gan obeithio mai ni fyddai'r cyntaf yno, ac y caem helfa fras wedi i'r coed gael llonydd dros y Sûl.

Un peth a wnaem cyn cyrraedd adref efo'r **mwyar duon** fyddai gorwedd ar dop un cae a ddringem, cae hollol syth a elwid yn 'Cae Allt' a rowlio ar ein hochrau i lawr i'w waelod. Yn anffortunus weithiau, fe rowliai'r fasged **fwyar duon** hefyd.' (Kate Roberts, allan o Y Lôn Wen).

Yn ôl hen ofergoel ni ddylid casglu'r ffrwyth yn hwyr yn y tymor gan fod y diafol yn poeri arnynt ar nos Gŵyl Mihangel!

Mewn rhai llefydd yn swydd Gaer arferid plannu **mieri** mewn mynwentydd er mwyn rhwystro defaid rhag pori ymhlith y beddau.

46

Mintys   Ll. *mentha longifolia*   Gr: *hêdwosmon*

Ceir tri math o **fintys** yn tyfu'n Israel – **mintys yr ardd, pupur-fintys** neu **mintys poethion** a **llysiau'r gwaed**. Maent yn tyfu yn wyllt yn arbennig wrth ymyl lleoedd llaith fel corsydd a nentydd.

Arferid taenu'r dail ar lawr y synagog, ac wrth iddynt gael eu sathru deuai arogl hyfryd ohonynt i bereiddio'r addoldy.

Dau gyfeiriad yn unig a geir yn y Beibl at **fintys** (Mathew 23: 23 a Luc 11: 42), serch hynny gellir eu cynnwys ym mhlith y 'pethau dymunol i'w blasu' y cyfeirir atynt yn II Esdras:

MINTYS

'A chyn gynted ag yr aeth dy air di allan . . . ar unwaith daeth ffrwythau allan yn llu aneirif, a phob math o bethau dymunol i'w blasu, ynghyd â blodau digymar eu lliw ac arogleuon persawrus tu hwnt. Dyna'r hyn a wnaed y trydydd dydd.'

(II Esdras 6: 43-44).

Maent hefyd ymhlith y 'planhigion at wasanaeth dyn'.

> 'Yr wyt yn gwneud i'r gwellt dyfu i'r gwartheg,
> a phlanhigion at wasanaeth dyn . . .' (Salm 104: 14).

Defnyddid y dail **mintys** i bwrpas coginio mor bell yn ôl ag Oes y Cerrig. Gwyddai'r Groegiaid, y Rhufeiniaid a'r Iddewon am eu gwerth i flasu seigiau cig, yn arbennig gyda'r cig oen yng ngwledd y Pasg Iddewig. Defnyddid hwy hefyd i bwrpas meddyginiaethol, i wella sawl anhwylder fel cur pen. Yma ym Mhrydain, defnyddid hwy at boen bol a phigyn clust. Erbyn heddiw mae'r arferiad o ddefnyddio planhigion gwyllt at ddiben meddygaeth werin ar gynnydd yn ein gwlad. Er bod llawer o ofergoeliaeth y tu ôl i'r honiadau meddyginiaethol a briodolir i sawl planhigyn, ceir *menthol* o **fintys**, *aspirin* o risgl **coed helyg** a *digocsin* o **fysedd cŵn**. Ar y llaw arall, gall anwybodaeth wrth ddefnyddio planhigion fel meddyginiaeth fod yn farwol. Cofier yr enwau eraill sydd ar **fysedd cŵn: blodau crachod** a **bysedd yr ellyllon!**

Ond yn wahanol i'r **bysedd cŵn** mae'r **mintys** yn blanhigion digon diniwed a llesol. Defnyddir hwy o hyd, nid yn unig i flasu cigoedd, ond hefyd i flasu jeli, da-da, past dannedd a gwm cnoi!

Da cofio fod **y mintys** ymhlith planhigion y 'Border Bach'!

Mae cornel o berlysiau mewn gardd nid yn unig yn rhoi lliw a phersawr iddi, ond hefyd maent yn ddefnyddiol at wasanaeth bwrdd y gegin. Gellir tyfu **mintys, teim, lafant a rhosmari** mewn potiau a hen lestri i addurno'r ardd.

> 'Crefft o Dduw, garddwriaeth.'
>
> Allan o *Geirfa Natur* – Gwasg Prifysgol Cymru

GWEDDI

Diolch i Ti O Dduw am bob coeden, llwyn a phlanhigyn sy'n addurno'r gerddi ac yn dilladu'r ddaear.
Petai Eryri a'r Preseli yn ddim ond creigiau a cherrig noeth byddent yn ddolur i'r llygad.
Petai llawr Dyffryn Clwyd a thraethau Ceredigion yn ddim ond llaid a thywod byddent hwythau yn undonnedd llwyr.
Diolch i Ti nad felly y maent. Amen.

Mwstard du   Ll. *Brassica nigra*   Gr: *sinapis*

Pwy na chlywodd am '**Ddameg yr Hedyn Mwstard**'?

'Y mae teyrnas nefoedd yn debyg i **hedyn mwstard**, a gymerodd dyn a'i hau yn ei faes. Dyma'r lleiaf o'r holl hadau, ond wedi iddo dyfu, ef yw'r mwyaf o'r holl lysiau, a daw yn goeden, fel bod adar yr awyr yn dod ac yn nythu yn ei changhennau.' (Mathew 13: 31-33).

Yn sicr llwyn **y mwstard du** yw'r mwyaf o'i rywogaeth – oddeutu dwy fedr o uchder a mwy; ac felly mae'n amlwg ymhlith planhigion ardaloedd Môr Galilea, a'i flodau niferus lliw lemon yn melynu'r wlad.

Bychan iawn, iawn ydyw'r hadau, tua un milimedr, ond maent yn denu'r adar, yn arbennig teulu'r llinos.

> 'Cadw frigyn ir yn dy galon ac fe ddaw'r adar yn ôl i ganu'
>> Un o hoff ddywediadau Sian Williams, Efail Uchaf,
>> Ty'n-y-gongl, Môn

I'r Iddew roedd coeden yn symbol o deyrnas, ac adar yn symbol o'r cenhedloedd eraill.

Dechreuad bach iawn gafodd teyrnas Iesu,dim ond llond dwrn o ddisgyblion, ond buan iawn y cynyddodd y 'deuddeg' yn filiynau ar filiynau. Lledodd canghennau ei deyrnas i bob cyfeiriad a dod yn nythfa i'r holl genhedloedd.

'. . . os bydd gennych ffydd gymaint â **hedyn mwstard**, fe ddywedwch wrth y mynydd hwn, "Symud oddi yma draw," a symud a wna.
Ac ni fydd dim yn amhosibl i chwi.' (Mathew 17: 20-21).

Roedd yr hadau bychain hyn yn werthfawr i'r Iddew, oherwydd ohonynt câi olew meddyginiaethol. Hefyd wrth falu'r hadau'n llwch melyn, câi flawd i wneud pâst neu saws poeth i flasu bwydydd.

Mae'r dail sy'n tyfu o gwmpas bonyn y llwyn yn fwytadwy hefyd. Dywed un awdur Rhufeinig o'r ganrif gyntaf, fod dail **mwstard** wedi eu piclo mewn finegr yn eithriadol o flasus.

Yn ein gwlad ni yn yr amser a fu,defnyddid y dail i wneud powltris i esmwytho poen yn y cyhyrau; ac un feddyginiaeth at anwyd oedd mwydo'r traed mewn dŵr poeth a **mwstard**! Tybed?

Rhaid cyfaddef mae **mwstard** yn rhoi gwell blas ar frechdan ham! Mae'r llinos yn gwybod be' sy'n dda.

GWEDDI

Arglwydd, rhyfeddod y rhyfeddodau yw gweld yr ychydig yn mynd yn llawer. Unwaith bo'r hadau ar aden y gwynt nid oes terfyn i'w tiriogaeth, na'r un gorwel yn rhy bell i'w gyrraedd. Rhyfeddod hefyd yw twf yr egin eiddil yn ymwthio'n ddiymdrech drwy darmacadam a choncrid tuag at oleuni'r haul. Tystia i oruchafiaeth bywyd ac ynni dy greadigaeth.

Yn y byd gwyrdd nid oes ball chwaith ar brifiant y bach, na ellir mo'i atal. Daw'r gollen o'r gneuen leiaf a cheir derwen o fewn y fesen.

'Y mae teyrnas nefoedd yn debyg i . . .'

Caed dameg o'r **hedyn mwstard**.
Rhoist inni'r fraint o hau a phlannu, ond Ti piau gwyrth tyfiant
'. . . y lleiaf o'r holl hadau.' Amen.

Yn isel lamp Teresa
Welwyd haul y Bugail Da.
Alan Wyn Roberts, Brynsiencyn

MWSTARD DU

Myrr Ll. *Commiphora Abyssinia* Heb: *môr* Gr: *smurna*

Yn nyddiau'r Beibl roedd **myrr** yn gynhwysyn poblogaidd i wneud ennaint a phersawr. Felly yn fasnachol roedd yn werthfawr dros ben. Dengys yr enw Lladin mai Abysinia (Ethiopia) yw cynefin y planhigyn hwn. Mae i'w gael hefyd yn Somalia ac ar arfordir y Môr Coch yn Ne Arabia. Llwydda i dyfu mewn tir caregog a diffaith. Ceir mathau eraill o lwyni sy'n perthyn i'r un rhywogaeth. Mae'r dail yn glystyrau bychain, ac mae'r ffrwyth yn debyg i'r **olewydden** ond yn llai o faint.   O'r canghennau, sy'n arogli'n hyfryd, daw diferion o lud gwyn, . sy'n troi'n goch wrth galedu.

Mae'r **myrr** y ceir sôn amdano yn yr Hen Destament yn gynnyrch y goeden *ladanum.* (Genesis 37: 25 a 43: 11).

Ers cenedlaethau mae'r enwau **myrr** a **thus** yn adnabyddus i actorion bach drama'r geni.

> Defod ar y Nadolig, yw fod
> Plant y festri, y bychain,
> Yn cyflwyno yn ein capel ni
> Ddrama y geni.
>
> Bydd rhai oedolion wedi bod wrthi
> Yn pwytho'r Nadolig i hen grysau,
> Hen gynfasau, hen lenni
> I ddilladu y lleng actorion.
>
> Pethau cyffredin, hefyd, fydd yr 'anrhegion':
> Bydd hen dun bisgedi,
> O'i oreuro, yn flwch **myrr**;
> Bocs te go grand fydd yn dal **y thus**.
>
> Gwyn Thomas, allan o 'Drama'r Nadolig' – *Croesi Traeth*

Byddai'r Iddewon yn glanhau a phuro cyrff y meirw drwy eu heneinio ag eli wedi ei wneud o **fyrr**.

Y noson y croeshoeliwyd Iesu Grist, aeth Joseff o Arimathea at Pilat, y rhaglaw Rhufeinig, i geisio ei ganiatâd i gladdu corff Iesu.

Daeth Nicodemus hefyd '. . . â thua chan pwys o **fyrr** ac **aloes** yn gymysg. Cymerasant gorff Iesu, a'i rwymo. ynghyd â'r peraroglau, mewn llieiniau, yn unol ag arferion claddu'r Iddewon.' (Ioan 19: 39-40).

Onid oedd **myrr** felly'n anrheg ryfedd i'w rhoi i faban bach?

'. . . offrymasant iddo anrhegion, aur, **thus a myrr.**' (Mathew 2: 11).

MYRR

Na yw'r ateb:

'Caed baban bach mewn preseb
Drosom ni.'
Bu'r 'groes a'r hoelion garw
Drosom ni.'

Bu'r hwn fu '. . . ar Galfaria
Yn sugno bron Maria'n faban bach.'

GWEDDI

Arglwydd, mae meddwl amdanat
'Yn faban heb ei wannach'
yn peri syndod o hyd.
'Ni wyddom am ddim rhyfeddach, – Créwr
Yn crio mewn cadach . . .'
Ond yr un mor syfrdanol oedd
'Rhoi Awdur bywyd i farwolaeth'.
Naddwyd y crud a'r groes o Bren y Bywyd.
Ofer yr anrhegion o aur a thus heb y myrr.
Diolch i ti am wyrth y preseb a gwyrth y groes,
–y naill er mwyn y llall,
a Bethlehem a Chalfaria er ein mwyn ninnau
a 'throsom ni'.
Amen.

Thus   Ll. *Boswellia sacra*   Heb: *lebônâh*   Gr: *libanos*

Fel **y myrr**, resin coeden yw **thus** hefyd. Cartref a chynefin y **coed thus** yw Arabia, dwyrain yr Affrig a'r India ym mynyddoedd yr Himalaya.

Gwyn a phinc ysgafn yw'r blodau sydd ar ffurf sêr, ac mae'r dail yn wyrdd glân ac yn eitha tebyg mewn ffurf i ddail **y griafolen**.

Dyma'r resin gorau o ddigon i bwrpas arogldarthu – defod a gynhelid yn y deml yn Jerwsalem, pan fyddai'r archoffeiriad yn eiriol dros y genedl mewn gweddi gerbron Duw. Dyna arwyddocâd yr anrheg o **thus** i'r baban Iesu – yn enw Iesu yr awn at Dduw. Ef yw y bont rhyngom a Duw.

Ganwyd Iesu i fod yn Frenin Bywyd, offeiriad ac i farw er ein mwyn.

'Offrymasant iddo anrhegion, aur a **thus** a **myrr**.' (Mathew 2: 11).

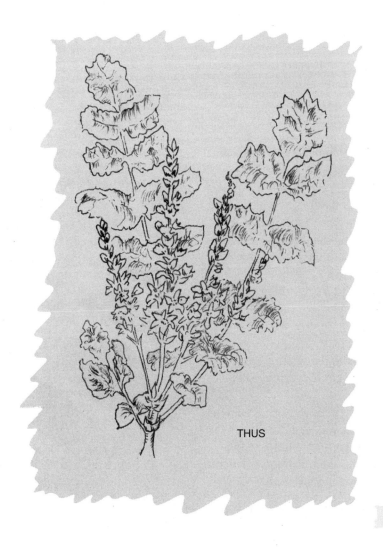

THUS

Olewydden   Ll. *Olea Europaea*   Heb: *zayith*

Nid Ewrop yw cynefin **y pren olewydd** fel yr awgryma'r enw Lladin llysieuegol, ond yn hytrach gwledydd Môr y Canoldir. Yn nyddiau'r Beibl roedd **llwyni olewydd** yn ffynnu'n dda ar ochrau bryniau a mynyddoedd Jwdea, Samaria a Galilea er gwaethaf y tir caregog a gwael. Maent yno hyd heddiw'n harddu'r llethrau. Roedd Mynydd yr Olewydd, fel mae'r enw'n ei grybwyll, yn enwog am **lwyni olewydd**.

Credir fod yr hynaf o'r **coed olewydd** a welir yno heddiw tua mil a hanner o flynyddoedd oed. At hon y cyfeiriodd Gwenallt yn ei gerdd **'Olewydden.'**

> 'Pren y dwyrain yw'r **olewydden**.
> Yma yn yr ardd o flaen Eglwys yr Holl Genhedloedd
> Y mae **olewydd**, ac yn enwedig un;
> Perthnasau'r **olewydd** yng Ngethsemane gynt . . .'

Dyma un o goed pwysig y Beibl, os nad y bwysicaf:

* Ceir cysgod oddi tani rhag gwres tanbaid y Dwyrain Canol.
* Yn nyddiau'r Beibl defnyddid yr olew o'r ffrwyth i goginio neu'n danwydd yn y llusernau clai bychain.
* Gwneid tonig gwallt o'r olew ac eli ar friwiau.
  Yn Nameg y Samariad Trugarog daeth teithiwr o Samaria at y dyn a syrthiodd i blith lladron,
  'Aeth ato a rhwymo ei glwyfau, gan arllwys olew a gwin arnynt.' (Luc 10: 30-36).
* Roedd un goeden yn ddigonol i gadw teulu cyfan mewn braster am flwyddyn yn lle menyn.
* Gall dyfu mewn tir o ansawdd sâl a charegog, a dechrau ffrwytho pan fo tua phedair mlwydd oed, a phara i wneud hynny am ganrifoedd.

OLEWYDDEN

* Cyn gwywo a marw bydd yn taflu egin newydd. Tebyg i'r egin hwn yw plant Duw sy'n ei barchu, medd **Salm 128**:

    'a'th blant . . . fel **blagur olewydden**.'

* Bu deilen **yr olewydden** yn symbol o dangnefedd ers dyddiau cynnar dynoliaeth. Roedd yn arwydd i Noa fod y dilyw trosodd. Dychwelodd y golomen i'r arch 'yr oedd yn ei phig **ddeilen olewydd** newydd ei thynnu.' (Genesis 8: 11).

* Hydref yw tymor cynhaeafu'r **olewydden**, ac roedd gan y tlodion hawl i gasglu'r ffrwyth oedd ar y llawr ac ar y brigau uchaf.

* Defnyddid olew o'r ffrwyth fel toddydd i wahanol fathau o sbeis, arogldarth a pherarogl. Hefyd arferid eneinio brenhinoedd, offeiriaid a chleifion ag eli wedi ei wneud o'r olew.

Does ryfedd fod Duw yn ei harddwch yn cael ei gymharu â'r **olewydden**, ac felly hefyd y rhai sy'n ffyddlon iddo:

'Lleda'i flagur, a bydd ei brydferthwch fel **olewydden**.' (Hosea 14: 6).

Galwodd y proffwyd Jeremeia hefyd y genedl yn '**olewydden** ddeiliog deg' (Jeremeia 11: 16).

Mae deilen **yr olewydden** yn brydferth,ac yn hir fel blaen gwaywffon llwydwyrdd. Gwyrdd yw'r ffrwyth hefyd ond yn dywyllach na'r ddeilen, ac yn ddu pan yn aeddfed. Yn wir mae'r boncyff cnotiog yr un mor hardd â'r dail a'r ffrwyth.

Yn Llyfr Exodus cyfeirir at y lamp a oedd yn goleuo pabell y cyfarfod ar yr allor gerbron Duw:

'Gorchymyn i bobl Israel ddod ag olew pur wedi ei wasgu o'r **olewydd** ar gyfer y lamp, er mwyn iddi losgi'n ddibaid.' (Exodus 27: 20).

> 'N'ad im gario lamp neu enw
> Heb yr olew gwerthfawr drud.'
>
> Arthur Evans, Cynwil

> 'Fe'n himpiwyd ninnau, y Gorllewinwyr, i'r **olewydden** hon,
> Gan sugno ein holew o'i waed Ef,
> A'n cadernid o'i gwreiddiau
> Sydd yn cydio yn rhagluniaeth ac iachawdwriaeth Duw.
> **Olewydden** Eglwys yr Holl Genhedloedd.'
>
> Gwenallt

Palmwydden
Ll. *Phoenix dectylifera*   Heb: *tāmār*
Gr: *ffoinics*

> 'Arglwydd, gad im dawel orffwys
> Dan gysgodau'r **palmwydd** clyd.'
> William Ambrose (Emrys)

Yng nghysgod **y balmwydden** yr eisteddai'r broffwydes Debora pan aeth yr Israeliaid ati i geisio ei barn. (Barnwyr 4: 5).

Cynrychiolai'r **balmwydden** sancteiddrwydd a bendithion Duw, a hefyd roedd yn symbol o gyfiawnder ac uniondeb.

> 'Y mae'r cyfawn yn blodeuo fel **palmwydd**,
> . . . y maent wedi eu plannu yn nhŷ'r Arglwydd,
> ac yn blodeuo yng nghynteddau ein Duw.
> Rhônt ffrwyth hyd yn oed mewn henaint,
> a dal yn wyrdd ac iraidd . . .' (Salm 92: 12-14).

Hwyrach fod a wnelo hyn â'r ffaith mai un boncyff unionsyth sydd i'r **balmwydden**, a'r dail yn tyfu'n glwstwr ar ei phen. Bu'n amlwg iawn ym mywyd y genedl Iddewig:

–Defnyddid cerfluniau o'r **balmwydden** i addurno Teml Solomon.

–Gwneid to o'r dail i'r tŷ bychan y trigai'r Iddew ynddo yn ystod Gŵyl y Pebyll (gŵyl ddiolchgarwch), i'w atgoffa o arweiniad a gofal Duw pan oedd y genedl yn byw mewn pebyll yn yr anialwch yn amser Moses. (Nehemeia 8: 15).

–Daeth yn symbol o goncwest. Yn yr ail ganrif cyn Crist gorchfygodd yr Iddewon y Groegiaid a reolai eu gwlad, ac i gofio hynny bathwyd darnau arian a'r **balmwydden** yn arwyddlun arnynt.

Rhydd y **balmwydden** lawer o fendithion at ddefnydd bywyd bob dydd hefyd:

–Cysgod rhag gwres llethol y Dwyrain Canol.

–Datys sy'n ffrwyth maethlon.

–Sudd blasus o'r boncyff; a thipyn o gic ynddo ar ôl iddo eplesu!

–Gwneir matiau, basgedi ac ati o'r dail.

–Nyddir edau a llinyn o ffibr y boncyff.

Tyfai'r **balmwydden** yn Israel ers cyn cof. Galwyd Jericho, a dybir gan rai ei bod y ddinas hynaf yn y byd, yn **ddinas y palmwydd.** (Deuteronomium 34: 3).

Pan adawodd Iesu Grist Bethania (Dinas y Datys) a marchogaeth ar ebol asyn ar ei daith olaf, fuddugoliaethus, i Jerwsalem, croesawyd ef gan dyrfa fawr:

'Cymerasant ganghennau o'r **palmwydd** ac aethant allan i'w gyfarfod gan weiddi:
"Hosanna!
Bendigedig yw'r un sy'n dod yn enw'r Arglwydd,
yn frenin Israel".' (Ioan 12: 13).

Yn ôl G. K. Chesterton roedd yr ebol asyn yn medru synhwyro'r gorfoledd.

> 'Ynfydion! cefais innau f'awr;
> Un awr felysaf gaed:
> Roedd sŵn Hosanna yn fy nghlyw
> A **phalmwydd** dan fy nhraed'
>
> Cyfeithiad W. J. Gruffydd – 'Yr Asyn', *Ynys yr Hud*

I'r Cristion mae'r **balmwydden** yn symbol nid yn unig o sancteiddrwydd ond hefyd o'r atgyfodiad-buddugoliaeth fwyaf ein Harglwydd.

'. . . wele dyrfa fawr na allai neb ei rhifo . . . yn sefyll o flaen yr orsedd ac o flaen yr Oen, wedi eu gwisgo â mentyll gwynion, a **phalmwydd** yn eu dwylo. Yr oeddent yn gweiddi â llais uchel:

"Buddugoliaeth i'n Duw ni, sy'n

eistedd ar yr orsedd, ac i'r Oen".' (Datguddiad 7: 9-10).

PALMWYDDEN

Rhosyn Saron   Ll. *Tulipa Sharonensis*   Heb: *chabaṣeleth*

'Yr wyf fel **rhosyn Saron**, fel **lili'r dyffrynnoedd**. Ie,lili ymhlith **drain** yw f'anwylyd ymysg merched.' (Caniadau Solomon 2: 1).

Heb amheuaeth dyma eiriau un a oedd, dros ei ben a'i glustiau mewn cariad! Pwy tybed yng Nghymru a wnaeth yr un peth a chymharu ei gariad i flodau?

> Blodau'r flwyddyn yw f'anwylyd,
> Ebrill, Mai, Mehefin hefyd.
>> Hen bennill

Os bu rhai diwinyddion yn dadlau mai alegori yw *Cân y Caniadau*, sy'n dangos y berthynas rhwng Duw a'i bobl, neu rhwng Crist a'i eglwys, yn sicr telynegion serch oedd y gân yn wreiddiol. Syrthiodd Ann Griffiths yr emynyddes o Ddolwar Fach, mewn cariad â'i Gwaredwr. Nid rhyfedd iddi alw Iesu'n **rhosyn Saron**.

> **Rhosyn Saron** yw ei enw,
>> Gwyn a gwridog, teg o bryd;
>> Ar ddeng mil y mae'n rhagori
>> O wrthrychau penna'r byd.'

Rhywbeth yn debyg oedd profiad William Williams, Pantycelyn hefyd:

> 'Y mae gwedd dy ŵyneb grasol
> Yn rhagori llawer iawn
> Ar bob peth a welodd llygad
> Ar hyd ŵyneb daear lawn:
> **Rhosyn Saron**
> Ti yw tegwch nef y nef.'

Ai'r llwyn *hypericum calycinum* y cyfeirir ato yng Nghymru fel **rhosyn Saron** yw **rhosyn Saron** y Beibl? Go brin, planhigyn bylb yw hwn sy'n perthyn i rywogaeth tylwyth y **tiwlip**. Mae tua chant o wahanol fathau'n tyfu yn Israel. Pam ei alw'n **rhosyn Saron**?

Cynefin y blodyn yw dyffryn o'r un enw, sy'n ymestyn am chwe deg milltir rhwng mynydd Carmel a thref glan-môr Joppa. Mae tir dyffryn Saron yn eithriadol o ffrwythlon ac yn rhoi cnydau da o ŷd. Dyna pam y gelwir y rhan hon o'r wlad yn fasged-fwyd Israel.

Yn dilyn glaw-tyfu y gwanwyn mae'r olygfa a welir o lawr y dyffryn yn ddiguro. O fryniau Jwda'n y dwyrain hyd at Fôr y Canoldir yn y gorllewin ceir panorama sy'n basiant o liwiau. Coch llachar **rhosyn Saron** sy'n bennaf gyfrifol am wrido'r tapestri lliw hwn.

'Mae golwg hardd ar Fôr y Canoldir o nen y tŷ . . . ond prin yw'r amser a geir i aros yma ,gan nad oes ond un trên yn teithio i Jerwsalem. Rhed ein llwybr drwy Ddyffryn Saron, ac mae'r olygfa yn hudol dlws. Daw llu o blant bach clebrus i'r orsaf gan weiddi **'Rhosyn Saron'** a chynnig y blodyn rhuddgoch prydferth i'r teithwyr, ond ni ŵyr neb erbyn heddiw ai'r un yw'r blodeuyn hwn â'r un a elwid ar yr un enw yn yr ysgrythurau, eithr y mae'n dlws iawn ac yn tyfu mewn cyflawnder drwy'r dyffryn.' (Eluned Morgan, allan o *Y Dwyrain*).

'Nid blodau i'w cadw mewn tŷ gwydr yw **rhosyn Saron** a **lili'r dyffrynnoedd**, ond blodau gwylltion, yn blaguro orau yn yr anialwch, gan ei droi, yn eu pwysau, yn Ardd yr Arglwydd.' (E. Tegla Davies, allan o *Ar Ddisberod*).

RHOSYN SARON

Sycamorwydden Ll. *Ficus sycamorus* Heb: *shiqmāh*

Nid hon yw'r **sycamorwydden** Gymreig. Mae'n hollol wahanol i'r **shacan** neu'r **fasarnwydden** y gwyddom ni amdani.

Mae ffrwyth **sycamorwydden** y Beibl yn debyg i ffigys, ond heb fod mor flasus a melys. Serch hynny roedd y ffigys hyn yn cael eu bwyta gan y tlodion a'r bobl gyffredin.

> 'Rhoddir praw o wreiddiau'r pren
> A'i radd, yn ffrwythau'r wydden.'
>
> T. Gwynn Jones, allan o *Wrth Natur*

Ceir agorfa fechan ar dop y ffrwyth i alluogi math arbennig o gacynen ymwthio drwyddi er mwyn cyrraedd y paill. Rhaid wrth y ffrwythloni hwn er mwyn aeddfedu'r ffigys, ond bydd y blas wedyn mor chwerw fel na ellir eu bwyta. Ond roedd modd rhwystro hyn rhag digwydd drwy drin y ffrwyth cyn iddo aeddfedu. Yn ôl Amos y proffwyd dyna oedd ei alwedigaeth:

'Nid oeddwn i'n broffwyd, nac yn fab i broffwyd chwaith; bugail oeddwn i, a garddwr coed **sycamor** . . .' (Amos 7: 14).

Os nad oedd gwerth mawr i'r ffrwyth, mae'r pren ei hun yn ardderchog at bwrpas adeiladu. Gan ei fod yn bren ysgafn mae'n ddelfrydol i wneud trawstiau. Defnyddiwyd coed **y sycamor** i wneud eirch sydd wedi para heb bydru am dros dair mil o flynyddoedd!

Yn yr Efengyl yn ôl Luc (19: 1-10) ceir hanes am Sacheus, y prif gasglwr trethi cyfoethog, yn dringo **sycamorwydden** er mwyn gweld Iesu. Roedd yn ddyn byr ac ni allai weld Iesu am fod cymaint o bobl o'i gwmpas. Mae'r hanes hwn wedi anfarwoli nid yn unig Sacheus, ond hefyd **y sycamorwydden** am byth.

> Yn ôl y traddodiad, yr oedd Sacheus yn arfer mynd am dro
> Yn rheolaidd, i weled **y sycamorwydden** lle gwelodd o
> Y Gwaredwr: pren y sioc a'r syndod; coeden gobaith a ffydd;
> Pren iachawdwriaeth a'i gollyngodd ef o'i bechodau yn rhydd.
>
> Gwenallt, allan o 'Sacheus', *Y Coed*

GWEDDI

Duw mawr y rhyfeddodau maith!
Rhyfeddol yw pob rhan o'th waith'.
Pwy ond Tydi fuasai'n defnyddio **sycamorwydden** i dynnu sylw, ond dyna dy hanes erioed – rhoddaist ardd yn gartref i ddyn yn ei ddechreuad.
Dewisaist **ddeilen olewydd** a'i rhoi ym mhig colomen yn arwydd gobaith, a rhoi dy neges sanctaidd drwy 'berth yn llosgi heb ei difa'.

Rhoddaist i rai 'winllan' i'w chadw, a chafodd eraill alwad gennyt drwy **bren almon** yn blodeuo cyn darfod o'r gaeaf.

Ni ddeallodd pawb wyrth **yr hedyn mwstard** yn tyfu'n goeden a gweled gwerth mewn offrwm o bum **torth haidd**.
Nid pawb chwaith roddai gynnyrch **y coed thus** a **myrr** yn anrheg i faban bach.

Cynorthwya ninnau i weld ein cyfle; ac agor ein llygaid fel y gwelwn ysblander **'blodau'r maes'**, sydd a'u gwisg yn harddach nag eiddo Solomon gynt yn ei holl ogoniant.

O na fyddem ymhlith dy ryfeddodau, yn blodeuo yn dy gynteddau Di, a ffrwytho hyd yn oed mewn henaint – yn dal yn wyrdd ac iraidd, i gyhoeddi dy fod yn Arglwydd uniawn. Amen.

SYCAMORWYDDEN

Ysgall
Ysgallen Fair

Heb: *ḥôaḥ* neu *dardar*
Ll. *Silybum marianum*

Yn yr Hebraeg ceir dau air am **ysgall**, ond mae'n anodd gwybod pa fath o **ysgall** yw y rhain gan fod cant a hanner a mwy o wahanol fathau o **ysgall**. Efallai fod *ḥôaḥ* yn air am **ddrain** yn gyffredinol.

Dichon mai'r **ysgallen euraid** yw'r **drain** y cyfeirir atynt yn 'Nameg yr Heuwr' (Mathew 13: 7) gan fod y math yma o **ysgall** yn ymgartrefu'n hawdd ar ymylon tir wedi ei aredig neu fraendar. Fel yr awgryma'r enw, melyn yw lliw blodyn **yr ysgall euraid**.

> 'Syrthiodd hadau eraill ymhlith **y drain** a thyfodd **y drain** a'u tagu.'

Yn llyfr y Barnwyr 8: 7 sonnir am Gideon yn bygwth ffustio ei elynion â **drain**. Gall mai'r **ysgallen Syriaidd** ac **ysgallen Fair** yw'r **drain** dan sylw oherwydd mae'r ddau fath yma o **ysgall** yn tyfu'n weddol uchel, ac felly mae modd gwneud chwip ohonynt.

Yn Barnwyr 6: 11 ceir cyfeiriad arall at Gideon yn dyrnu **gwenith** yn Offra, ac mae Offra'n gynefin naturiol i **ysgall Mair** a'r **ysgall Syriaidd**.

Blodau pinc, porffor neu wyn sydd i'r rhain, ac mae dail **ysgallen Fair** yn wyrddlwyd â smotiau gwyn arnynt.

Mae hinsawdd gynnes a thirwedd creigiog gwlad Israel yn addas iawn i dwf yr **ysgall**. Hefyd mae i'r had ganghennau pluog sy'n gymorth i'w gwasgaru a'u cario ymhell gan y gwynt. Maent yn tyfu'n gyflym ac mae'n anodd cael gwared ohonynt.

> Tri pheth a gynnydd ar wlaw
> Gwlydd ac **ysgall** ac **ysgaw**.
>> Hen bennill

Rhan o gosb Duw ar Adda am ei anufudd-dod oedd y byddai yn melltithio'r ddaear.

> '. . . bydd yn rhoi i ti **ddrain** ac **ysgall**.' (Genesis 3: 18).

> 'Os **ysgall** anghall a hau,
> Fe feda gnwd gofidiau'
>> Alan Wyn Roberts, Brynsiencyn

Yn Ail Lyfr y Brenhinedd 14: 9 defnyddir **ysgallen** fel cyffelybiaeth.
'Gyrrodd **ysgallen** oedd yn Lebanon at **gedrwydden** Lebanon yn dweud, "Rho dy ferch yn wraig i'm mab".'

Yr ysgallen yw Edom.

Cyfeiria y proffwyd Eseia at farn Duw ar y cenhedloedd a dywed am Edom. '. . . y bydd **danadl** ac **ysgall** o fewn ei cheyrydd.' (Eseia 34: 13).

> Ofer ceisio **grawnwin** deall
> Ar **fwyeri**, **drain**, ac **ysgall**.
> Hen Bennill

Wrth sôn am adnabod coeden wrth ei ffrwyth gofynnodd Iesu Grist, 'Ai oddi ar **ddrain** y mae casglu **grawnwin** neu oddi ar **ysgall ffigys**?' (Mathew 7: 16).

Felly nid oes gair da i'r **ysgall** yn y Beibl. P'run bynnag am hynny, yn ein gwlad ni yn yr unfed ganrif ar bymtheg defnyddid yr hadau blewog i lenwi clustogau, a chredid fod rhinwedd meddygol yn y ddeilen a'r goes i wella cancr, nerfusrwydd a'r felan!

> 'Mae deilen at bob dolur.'
> Un o ddywediadau llafar gwlad chwarelwyr Stiniog

GWEDDI

Ti Arglwydd, greodd
yr ysgawen a'r **ysgall**
– canmolwn y naill,
condemniwn y llall.
Pa fodd y ceir clustog
esmwyth o **hadau
ysgall**?
Dirmygwn y salaf a
dyrchafwn y gorau, a
Thithau Arglwydd
wedi ein creu i gyd, y
gwych a'r gwachul.
Mae gennyt bwrpas i'r
drain fel ag i'r **derw**,
ac mae diben i fywyd
pawb, pwy bynnag y
bo.
Tydi a'n creodd oll,
mae pawb yn blant i
Ti. Amen.

YSGALLEN FAIR

'Ynom, pob un ohonynt'

Mae i blanhigion le amlwg yn llên gwerin yr Iddewon a'r Cymry, a chenhedloedd eraill hefyd siŵr o fod.

Bu i Math a Gwydion drwy hud a lledrith greu o **flodau'r deri, y banadl** a **blodau erwain** y forwyn harddaf a welodd dyn erioed.

Yn chwedl Culhwch ac Olwen dywedir fod gan Olwen hithau wallt a oedd yn felynach na **blodau'r banadl**, a dwylo a oedd yn wynnach nag **egin ffa'r gors**, a thyfai pedair **meillionen wen** o'i hôl lle'r âi, a dyna paham y galwyd hi'n Olwen.

Credai ein hynafiaid pell fod y Tylwyth Teg yn defnyddio **llin y mynydd** i wneud eu dillad, a bod mewn sbrigyn o'r **ysgawen** ryw rym rhyfedd a fedrai ddychryn y Diafol, ond o losgi'r sbrigyn byddech wedyn yn gweld y gŵr drwg! Credent hefyd fod rhinwedd mewn **rhosmari** a fedrai wella'r clyw, y golwg a'r croen a'i fod yn cadw gwyfynod draw.

Go brin fod merched ifanc heddiw yn rhoi **blodau'r erwain** yn eu clustogau gan gredu fod hynny'n denu eu cariadon atynt, er y byddai'n llawer rhatach na chwistrellu persawr *Chanél* ar eu gyddfau!

A yw plant ein dyddiau ni yn cloddio am glôr **cnau'r ddaear** er mwyn blasu'r cnewyllyn gwyn? A yw gêm saethu pennau **dail ceiliog** (**llwynhidydd**) yn dal mewn bri? Pan ddaw tymor yr hydref gwelir eto hogiau yn casglu **concers** a'u colbio nes eu chwalu'n ddarnau, ac mae clymu blodau **llygad y dydd** yn gadwyn am y gwddf yn rhan o batrwm chwarae'r genod o hyd. Gobeithio y pery plant y fileniwm newydd i roi **blodyn ymenyn** dan ên i weld a fydd y lliw melyn yn cael ei adlewyrchu ar y croen i ddangos eu bod yn hoffi ymenyn!

Diolch fod enwau planhigion a blodau yn hawlio eu lle fel ag erioed pan enwir ystadau a thai newydd - *'Eithinog','Bryn Briallu', Rhos Helyg'* neu *'Cedrwydd.'* Da o beth yw cadw hen arferiad yn fyw. Mae swyn i enwau lleoedd fel *Derwen Las,Glyn Rhosyn, Llangollen, Cilrhedyn, Llwyn Onn* a *Phantycelyn.*

Ym mhen draw Llŷn mae dwy fferm o'r enw *Meillionydd* – y *Fach* a'r *Fawr.* Ym mhen draw'r byd, yn y Wladfa, bedyddiwyd merch a'i henwi'n **Meillionen**; ac onid blodyn yw **Fflur**!

Heb amheuaeth mae rhyw agosrwydd oesol rhwng planhigion a phobl na ellir byth mo'i ddirnad yn iawn. Tra pery prydferthwch a rhin planhigion a lliwiau a pherarogl blodau fe bery'r agosrwydd hwn.

> Y gwyllt atgofus bersawr,
> Yr hen lesmeiriol baent.
>> R. Williams Parry, allan o 'Clychau'r Gog'

Ydyn maent yn rhan annatod ohonom.

YR ARDD A'R PREN

Mi bellach goda' i maes,
  Ar fore glas y wawr,
I weld y blodau hardd
  Sy' ngardd fy Iesu mawr;
Amrywiol ryw rasusau pur,
A ffrwythau'r paradwysaidd dir.

Edrychwch draw i'r de
  A'r gogledd, y mae rhes
O harddach brennau lliw
  Po fwyaf bôm yn nes;
Eu peraidd flas a'u 'roglau llawn
Sy'n dangos nefol, ddwyfol ddawn.

Ein Tad, dywed dy Air iti blannu gardd cyn bod hanes, a phan ddaw'r hanes hwnnw i ben byddi'n sefydlu dinas newydd sanctaidd.
Ynghanol yr ardd tyfai 'pren y bywyd', yr un pren fydd ynghanol y ddinas newydd hefyd, a hwnnw'n ffrwytho drwy'r flwyddyn gron.
Diolch i Ti am ddefnyddio'r hyn sy'n gyfarwydd i ni, coeden fel **yr afallen**, i'n harwain at y gwirionedd sydd y tu draw i'n profiad.
Yng nghalon pob un ohonom mae rhyw berth, bren neu lwyn yn tyfu.

'Bydd dail y pren er iachâd y cenhedloedd.Ni bydd dim mwyach dan felltith.'

Caniatâ i ni drigo yn ei gysgod. Amen.

O! ddigyffelyb flas,
  O! amrywioldeb lliw,
Hyfryta' 'rioed a gad
  Ar erddi gwlad fy Nuw
Gilead â'i haroglau pur
Bereiddiodd awel Ganaan dir.

Mae'r **pomgranadau** pur,
  Mae'r peraroglau rhad,
Yn magu hiraeth cryf
  Am hyfryd dŷ fy Nhad:
O! Salem bur, O! Seion wiw,
Fy nghartref i a chartre 'Nuw.

William Williams, Pantycelyn

LLYFRYDDIAETH

Y Beibl Cymraeg Newydd (Cymdeithas y Beibl, 1988)

Mynegair i'r Beibl Cymraeg Newydd (Gwasg Prifysgol Cymru, Caerdydd, 1988)

Alon, Azaria, *The Natural History of the Land of the Bible* (Doubleday, Efrog Newydd,1978)

Awbery, Gwenllian, *Blodau'r Maes a'r Ardd ar Lafar Gwlad* (Gwasg Carreg Gwalch, 1995)

Balfour, J. H., *The Plants of the Bible* (Nelson & Sons, 1866)

Davies, Dafydd, ac Arthur Jones, *Enwau Cymraeg ar Blanhigion* (Amgueddfa Genedlaethol Cymru, 1995)

Encyclopaedia Britannica (1962)

Field Guide to the Wild Flowers of Britain (Reader's Digest, 1981)

Field Guide to the Trees and Shrubs of Britain (Reader's Digest, 1981)

Geirfa Natur (Gwasg Prifysgol Cymru, Caerdydd, 1945)

Griffiths, Bruce, a Dafydd Glyn Jones, *Geiriadur yr Academi* (Gwasg Prifysgol Cymru, Caerdydd, 1995)

Koops, R. *Flora in I & II Kings* yn *The Bible Translator*, Ebrill a Hydref 1998 (United Bible Societies)

Mabey, Richard, *Flora Britannica – Spring Flowers* (Sinclair Stevenson, 1996)

Matthias, Hermann, *Marvellous World of Wild Flowers* (Abbey Library, 1973)

Miller, M. S. & J. Lane Miller, *Encyclopaedia of Bible Life* (Adam & Charles Black, Llundain, 1955)

Morley, B. D., a Barbara Everard, *Wild Flowers of the World* (Rainbird Reference Books Ltd, 1970)

Roberts, Jenny, *Bible Facts* (The Apple Press, 1990)

Walker, Winifred, *All The Plants of The Bible* (Lutterworth Press, Llundain, 1958)

Zohary, Michael, *Plants of the Bible* (Cambridge University Press, 1982)

CYDNABYDDIAETHAU

Y Lôn Wen, Kate Roberts, Gwasg Gee, Dinbych, 1960.

Caniadau Cynan, Albert Evans Jones (Cynan), 1927. Yr hawlfraint yn eiddo ei wyres Sioned Ann O'Connor.

Y Goleuad, englynion o waith Derwyn Jones, Mochdre ac Alan Wyn Roberts, Brynsiencyn.

Hen Benillion, T. H. Parry-Williams, Y Clwb Llyfrau Cymreig, Llundain, 1940.

'Y Mae Balm i Boen', Roger Jones, Gwasg Gomer, Llandysul.

Llyfr Emynau a Thonau, Y Methodistiaid Calfinaidd a Wesleaidd, Atodiad, Gwasg Pantycelyn, Caernarfon, 1985.

Llyfr Emynau Y Methodistiaid Calfinaidd a Wesleaidd, 1927.

Rhys Lewis, Daniel Owen, (Hughes a'i Fab, 1885), S4C, Caerdydd.

'Lleyn', *Cerddi Edern*, T. Glyn Davies, (Gwasg y Brython, Hugh Evans a'i Feibion, Cyf., 1955), Gwasg Gomer, Llandysul.

Croesi'r Traeth, Gwyn Thomas, Gwasg Gee, Dinbych,.1978.

Y Coed, 1969, ac Ysgubau'r Awen, 1938 (Gwasg y Brython), Gwasg Gomer, Llandysul.

Homilïau, Emrys ap Iwan, Gwasg Gee, Dinbych,1907.

Pigau'r Sêr, J. G. Williams, Gwasg Gee, Dinbych,1969.

Cerddi Crwys, William Crwys Williams, (Hughes a'i Fab, 1931), S4C, Caerdydd.

Buchedd Garmon, Saunders Lewis, Gwasg Gee, Dinbych, 1937.

Cwm Eithin, Hugh Evans, (Gwasg y Brython, 1950), Gwasg Gomer, Llandysul.

Cerddi'r Bugail, Ellis Humphrey Evans, (Hedd Wyn), Gol. J. J. Williams, (Hughes a'i Fab, 1931), S4C, Caerdydd.

Bwrw Blwyddyn, Bethan Wyn Jones, Gwasg Gwynedd, Caernarfon, 1997.

Yn y Wlad ac Ysgrifau Eraill, O. M. Edwards, Gol. Thomas Jones, (Hughes a'i Fab, 1958), S4C Caerdydd.

Ynys yr Haul, W .J. Gruffydd, Y Cwmni Cyhoeddi Addysgol, 1923.

Ar Ddisberod, Tegla Davies, (Gwasg y Brython, 1952), Gwasg Gomer, Llandysul.

'Wrth Natur', T. Gwynn Jones, allan o *Cyfoeth a Thlodi*, cyfrol xcv, *Trysorfa*, 1924.

Cerddi'r Gaeaf, R. Williams Parry, Gwasg Gee, Dinbych, 1952.

Eluned Morgan-Bywgraffiad a Detholiad. R. Bryn Williams, Clwb Llyfrau Cymreig, Llundain,1948.

Geirfa Natur, Gwasg Prifysgol Cymru, Caerdydd, 1945.

'Yng Ngardd Tir Bach', englyn o waith T. Arfon Williams.

'Daear Duw'n Ymbincio' (Llyfrnod), Gwyn Thomas.